내 인생의 빛깔

BOOKK

내 인생의 빛깔

지은이 김 상 현

발 행 2024년 06월 17일
펴낸이 한건희
펴낸곳 주식회사 부크크
출판사등록 2014.07.15.(제2014-16호)
주 소 서울특별시 금천구 가산디지털1로 119 SK트윈타워 A동 305호
전 화 1670-8316
이메일 info@bookk.co.kr

ISBN 979-11-410-9001-2

www.bookk.co.kr

내 인생의 빛깔

김 상 현

BOOKK

차 례

글을 시작하며

모든 생명은 흔적을 남긴다.

이미 과거가 되어버린 지나온 흔적들을

현재의 추억으로 되살려내는 능력은

오직 인간만이 가진 능력이며

예술과 철학의 출발점이라 생각한다.

한 사람의 머문 자리가 어떠했는지

살펴보는 재미는 쏠쏠하다.

그것은 한 사람의 자서전일 수도 있고

수필이나 소설일 수도 있다.

그리고 우리는 동시대 이들의 주된 흔적을 한데 모아

'역사'라 부르며 재미와 교훈을 얻는다.

지나온 시간을 뒤돌아보면서

인생의 무상함 만을 느낄 수도 있지만

'그때 이랬더라면'하는 색다른 상상과

부끄러운 순간에 대한 진지한 반성으로

장차 마주할 관계 속에서 새롭게 피어날 흔적들을

설래임과 치열함으로 맞이할 수 있다면,
내게 남은 고귀한 시간여행을
'아름다운 마무리'로 끝낼 수 있으리라.

시간이 흐를수록 젊은 날 품었던 뜨거운 열정은
차갑게 식어가고, 몸에서 전해오는 가쁜 숨소리와
깊어져 가는 주름살을 서운하게 받아들이면서도,
황혼 녘에야 날개를 펴는 미네르바의 올빼미처럼
진지하게 인생을 성찰하는 시간은 지금부터다.

이 세상을 단지 한번,
허락된 짧은 시간 동안 유람하는 여행자로서
내가 바라는 내 삶의 평가는
"인간답게 열심히 살았다"라는 것일 뿐.

이제 세 번째 맞이하는 봄이다.
나의 마지막 여름과 가을은
다양한 사람들의 아름다운 향기 속에서
더욱 화려한 꽃들로 피어날 것이고,

겨울의 새하얀 눈 속에서도
나의 마지막 발걸음은 멈추지 않을 것이다.

제1화 내 삶의 흔적

자신의 과거에 대한 기억을 즐길 수 있는 것은

인생을 두 번 사는 것이다.

- 마르티얼 -

1. 어린 시절의 추억

내 인생의 첫 기억은 세 살, 초겨울, 연탄불 꺼진 단칸방에서 형과 함께 이불을 덮은 채 누워, 천정에서 검은 선을 타고 내려온 15촉 백열전구를 바라보며 "엄마"를 애타게 부르던 나의 모습이다.

당시 여섯 살인 형은 내가 울면서 엄마를 찾자 어린 자신도 당황하여 함께 울면서 "조용해라"를 외치며 나를 윽박지를 뿐이었고, 나는 눈가에 고인 눈물로 인해 여러 개로 나뉘어 보이는 주황빛 백열전구를 바라보면서 더욱 서럽게 울었다.

나는 여섯 살이 될 때까지 아버지에 대한 기억이 없다. 아버지는 전라남도 장성에서 소지주 가정의 십 남매 중 일곱째로 태어나 일제 강점기 6년제 중학교를 나온 '배운 사람'에 속했다. 그런데 어찌 된 일인지 일본 나고야에서 태어나 태평양전쟁을 겪고 해방을 맞아 경남 진영으로 온 가족이 귀국해 정착함에 따라, 전쟁 중 일본 초등학교 3년이 배움의 전부인 7살 연하의 어머니를 만나 31살에 결혼하셨다. 거기에다 경상도에서 전라도로 시집와 겪은 3년간의 혹독한 시집살이는 어머니를 더욱더 자존감 없는 사람으로 만들었고 아버지는 그런 어머니를 멀리한 채 밖으로 떠돌았다. 제대로 배운 기술이 없어 안정적인 직업을 갖지 못한 데다, 왜소한 체격과 몸에 밴 선비 기질로 인해 노동력이 요구되는 일을 하지 않았던 아버지는 부모로부터 물려받은 시골 논, 밭을 팔아 사업을 한답시고 주변 사람 좋은 일만 시키면서 형과 나 그리고 6살 아래 남동생이 태어날 때까지 10년간은 당신의 가정을 돌보지 않으셨다.

가장의 자리로 복귀할 때까지 경제적으로 무능한 아버지를 대신해 어머니는 강인한 생활력을 발휘했다. 나의 참을성과 절약 정신은 어머니의 영향이 크다. 아버지와 재결합해 분식 가게를 꾸리기 전까지 어머니는 당시 유행하던 편물을 배워 생계를 유지했다. 투명 백열등 불빛 아래 두꺼운 널빤지 3장을 이어 붙여 만든 앉은뱅이책상, 그리고 그 책상 위 올려놓은 큰이모가 사준 일제 편물기계 앞에 방석을 깔고 앉아 밤늦도록 오른손을 좌우로 끊임없이 움직이시던 어머니의 뒷모습을 바라보면서, 엄마 품속에서 잠들고 싶었던 어린 나의 소망은 언제나 잠든 후 꿈속에서 이루어졌다.

나를 가장 공포에 떨게 한 것은 겨울날의 목욕이었다. 흙바닥 부엌에서 '적갈색 합성고무 다라이'에 물을 받아 형과 나를 목욕시킬 때 처음 목욕물의 뜨거움과 피부가 벗겨질 정도의 무자비한 때밀이, 그리고 아프다고 소리치면 바로 등짝에 찍히는 선명한 손자국, 마지막으로 몸을 헹굴 때 식어버린 목욕물과 부엌 문틈 사이로 들어오는 황소바람으로 인해 온몸에 돋아나는 소름. 이런 이유로 나는 한 달에 한 번 하는 겨울 목욕이 트라우마가 되었고 그런 나를 어머니는 '씻는 걸 징하게 싫어하는 자식'으로 여겼다.

내가 마산 큰이모 집에서 위탁 생활을 마치고 광주로 돌아온 6살 무렵 부모님은 찐빵만두가게를 하시면서 품질이 좋은 미국 원조물자 밀가루를 구입해 사용하셨는데 밀가루를 담은 자루의 소재가 당목이었다. 어머니는 이 포대 자루를 잘라 손바느질로 팬티를 만들어 형과 나에게 입혔는데 그것이 너무 싫었다. 소재가 까칠까칠해 촉감이 좋지 않았고 특히 '성조기와 태극기 밑에 악수하는 컬러로고'가 덤으로 들어간 팬티는 '미제 푸대 빤스'라 부르며 서로 입지 않으려 했다.

일 년에 서너 차례 찾아오는 어머니의 '매타작'은 회초리로 종아리나 손바닥을 맞는 게 아니라, 화가 난 어머니가 "문디손들!"을 외치며 손에 잡히는 물건이나 주먹으로 우리의 온몸을 두들겨 패는 형태였고, 우리의 잘못을 빌미 삼아 그동안 쌓인 어머니의 분노를 해소하는 돌파구였다. 특히 형에 대한 폭력이

나보다 두 배 정도 강했는데 후에 어른이 되어 이유를 물어보았다. 부부싸움 중 고무신으로 어머니를 때리는 아버지의 모습을 처음 본 세 살배기 형이 다음번 부부싸움이 터지자, 어머니를 때리라고 아버지에게 고무신을 갖다주었다는 것이다. 부모가 부부싸움을 하면 어린 자식은 공포에 휩싸여 싸움이 빨리 끝나기만 바라게 되는데, 이런 심리로 발생한 형의 돌출행동을 어머니는 도저히 이해할 수 없었을 것이다.

어머니가 우리를 사랑한다는 걸 알지만 '매타작'에 대한 공포로 호기심 많고 명랑한 성격이었던 나는 소심하고 말이 없는 아이가 되어갔다. 그럼에도 라디오에서 흘러나오는 '엄마야 누나야'라는 애절한 노래를 들으면서 '내 곁에서 나를 지켜주는 유일한 존재이자 나를 가장 사랑해 주는 분은 어머니'라는 생각을 되새김질하며 나 자신을 위로했다.

여섯 살 무렵으로 기억되는데 부모님이 하시는 분식 가게가 시내버스 종점 근처라 버스가 시동을 건 채 대기하고 있는 모습을 자주 보았다. 어느 날 장난감 모형 자동차가 생겨 혼자 갖고 노는데, 어떤 분이 "너 차는 고장 났나 보다. '붕'하고 가지 않고 '낄룩 낄룩' 하면서 가니 말이야"라고 웃으며 말했다. 나는 승용차는 물론 버스를 타본 적이 없어 정류장에 시동이 걸린 채 서 있는 버스에서 나는 "낄룩 낄룩" 소리가 자동차가 갈 때 내는 소리라 생각했다.

유치원 첫 여름 방학 때 외할머니 장례식에 가기 위해 어머니와 함께 부산까지 11시간 버스를 타고 간 일이 있다. (나중에 들었는데 차멀미로 내가 토하다가 죽을 것 같아 도중에 마산에서 내렸다고 한다) 처음엔 난생처음 타보는 자동차인 지라 신이 나서 차창 밖으로 고개를 내밀어 몇 번이고 바깥 풍경과 하늘을 바라보았다. 운전기사의 경고로 나의 행동은 멈추었지만, 어머니에게 "해가 왜 우리를 계속 따라와요?"하고 물었다. 어머니가 당황해서 대답을 머뭇거리자, 옆좌석에 앉은 아저씨가 두 주먹을 쥐고 무어라 설명해 주었지만 무슨 말인지 도통 이해하지 못했던 것 같다.

여기서 마산 위탁 생활을 잠시 얘기하자면 마산시(오늘날 창원시) 오동동에서 어머니 형제 중 가장 연장자인 큰이모가 체대 대학원에 재학 중이던 외아들과 함께 살고 계셨다. 큰이모님은 활달한 성격으로 거주하는 일본식 가옥에다 무허가 사교댄스교습소를 차려 운영하시며 국궁, 가야금 등 다양한 취미생활을 즐기셨고 어린 나를 친아들처럼 예뻐해 주셨다. 큰이모님은 나에게 가야금을 가리키셨는데 줄 짚는 위치와 리듬을 외워 2주 만에 '밀양아리랑'을 연주하자, 댄스 교습을 마친 수강생 아저씨, 아줌마들에게 나를 신동이라고 자랑하시며 그들 앞에 앉히고 연주를 시키셨다. (나는 가야금의 무게로 인해 무릎

이 아프고 친구들과 어울려 놀지 못한다는 이유로 가야금 배우기가 싫었다)

공군사관학교에 입학했다가 준사관이 되어 당시 사복 차림으로 영화관 군기 순찰을 하시던 막내 외삼촌은 시간이 되면 나를 데리고 마산 시내영화관에 들어가 많은 영화를 보여주셨다. 그때 숨죽이며 보았던 공룡영화와 은박지로 감싼 손바닥 크기의 초콜릿 맛은 평생 잊을 수 없는 기억으로 남았다.

마산 생활이 1년쯤 지났을 즈음 자다가 울면서 "엄마가 보고 싶다"라고 하자 막내 외삼촌이 큰이모를 설득해 나를 광주 집으로 데려다주었다. 며칠 전 장대비가 내리던 날 동네 아이들과 어울려 집 근처에 있는 바다로 곧장 흘러드는 큰 하천에서 놀았는데, 이를 알게 된 큰이모에게 종아리를 맞은 일이 어린 마음에 상처가 되었던 모양이다. 이후 어머니는 "큰이모가 니를 친자식처럼 애끼고 고마 대학까지 보내 줄낀데" 하시며 아쉬워했다.

6살에 광주로 와서 만난 아버지가 내 기억에 처음으로 자리한 아버지 모습이었다. 당시 부모님은 찐빵만두가게를 하고 있었는데 아버지는 가끔 나에게 길 건너편에 있는 약국에서 '** 활명수'를 사 오라는 심부름을 시키고 남은 거스름돈은 가지게 했다. 이는 처음 접한 아버지의 모습을 인자한 아버지로 각인시키는 계기가 되었다.

6살에 집 근처 시립유치원에 입학한 것은 내 인생에 커다란 행운이었다. 당시 도시에서도 '유치원'이란 단어가 생소하게 들리던 시절, 내가 입원한 유치원은 집에서 200미터 거리에 있었고 시립유치원이라 입학금 200원 이외에 월 납부금이 없는 좋은 조건이었다. 형이 등교한 이후 혼자 외롭게 시간을 보내던 나에게 유치원 생활은 학습 능력과 사회성을 기르고 숨겨진 예능감을 발현시키는 기회의 장이 되었다.

그 유치원은 6세, 7세 두 반으로 편성되었으며 반별 각 20명을 모집했고 원장 선생님을 포함해 3명의 교사 선생님이 계셨다. 내가 다닌 유치원은 개원 초기 인지라 당시 입학생은 7세를 포함해 열댓 명에 불과했다. 9개월 후 7세들이 초등학교로 진학하자 나는 자연스럽게 유치원의 대장이 되었다. 특히 주무 교사였던 우**선생님으로부터 어머니에게서 받지 못한 다정다감한 보살핌을 받으며 지낸 2년간의 유치원 생활은 내 인생의 첫 이정표가 되어 이후 내 삶에 지대한 영향을 끼쳤다.

유치원 시절 기억에 남는 에피소드를 세 가지만 적겠다.

당시 UNICEF 동아시아 센터가 일본에 있었다. 유니세프를 통해 유리병에 든 여러 가지 Gerber사 제품과 가루우유, 모리나가 캐러멜 등 물품을 지원받았고 이것을 먹는 간식시간은 언제나 즐거웠다. 이에 대한 감사의 표시로 간단한 4소절의 노래를 영어, 일본어, 한국어로 부르게 되어 이것을 이틀간 연습하고 유치원을 방문한 '유니세프 사절단' 앞에서 합창으로 불렀던 기억이 난다. 50년이 훌쩍 지났건만 이 노래는 지금도 음정, 가사 모두 정확히 부를 수 있다. 당시 처음 접하는 외국어에 리듬감이 좋아 혼자 흥얼거리며 노래를 부르고 있는데 어떤 아저씨가 일본어가 들어간 이 노래를 듣고 언성을 높이면서 욕을 해대어 어리둥절했던 기억이 있다.

유치원에서 대장 노릇을 하고 있던 어느 날 다른 유치원에서 전원 온 지 얼마 되지 않은 또래 남자아이의 도전을 받았다. 수업 시간이 시작될 때까지 두 주먹을 쥐고 서로 마주 선 채 대치하고 있다가, 교실로 들어오시는 우 선생님과 눈이 마주친 순간 대치 상황을 끝내고자 "내가 졌다"라고 그 녀석에게 말했다. 수업이 끝나고 그 녀석은 신이나 '이제부터 자기가 대장'이라고 떠벌리고 다녔다. 이를 본 우 선생님이 울먹이는 나를 불러 자초지종을 묻고 그 녀석을 꾸짖으셨다. 얼마 후 그 녀석은 우리 유치원에서 다시 볼 수 없게 되었다. 이후 나에게 도전하는 녀석은 없었다.

유치원 졸업을 두어 달 앞두고 KBS 라디오방송국에서 '광주시 유치원 노래자랑 대회'가 열렸다. 유치원별 남, 여 각 1명이 대표로 출전해 우열을 가리는 대회였다. 나는 동갑내기 여자애 한 명과 함께 대표로 출전했고, 난생처음으로 들어가 본 스튜디오는 계란판으로 3면이 뒤덮인 채 커다란 유리 창문이 하나 있었다. 반주가 들리지 않는 상황에서 유리창 밖 선생님의 손짓에 맞추어 마이크에 대고 부르는 동요가 어색해 첫음절을 놓치고 말았다. "녹음방송이니 괜찮다"라는 선생님 말씀에도 '또 실수하면 어떻게 하지' 하는 생각이 들자 더 긴장되어 두 번째 시도에서도 실력 발휘를 제대로 할 수 없었다. 다행히 같이 출전한 여자애가 2등을 차지해 선생님의 아쉬움은 덜 했지만, 며칠 후 유치원 교실에 모여 앉아 라디오에서 흘러나오는 내 노래를 듣고 있는 원생들 눈과 마주치기 싫어 혼자 교실 밖으로 나와 버렸다.

초등학교(당시 국민학교) 생활 시작은 최악이었다.

입학식 날 왼쪽 가슴에 손수건을 달고 운동장을 가득 메운 채 서 있는 신입생들을 바라보면서 수많은 낯선 이들과 함께 할 초등학교 생활이 숨 막히는 압박감으로 다가왔다. 그해 입학한 일 학년은 18개 반으로 편성되어 있었고 한 반 정원이 92명이었다. 그야말로 콩나물시루 같은 교실에서 이부제 수업을 받아야만 했다. 재수 없게도 내가 속한 1반부터 9반까지는 처음 1학기를 오후반으로 시작했다. 유치원 시절이 저절로 그리워졌고 학교 근처에 있는 '나의 유치원'을 학교 운동장에서 물끄러미 바라보며 상념에 잠기곤 했다.

크리스마스가 가까울 무렵 문방구엔 트리에 장식하는 현란한 장식물들을 진열해 팔고 있었는데, 바람에 빙글빙글 돌며 끊임없이 하늘로 솟아오르는 듯한 금,은색 장식물에 넋이 빠져 한동안 그 모습을 바라보며 서 있었다. 그 순간 그날 급식으로 받아 왼손에 쥐고 있던 '옥수수빵'(미국이 원조해 준 옥수수가루를 기본재료로 사용해 학교 급식실에서 구워내 학생들에게 무료로 나눠준 빵)을 누군가 덥석 낚아채 달아나는 것이었다. 내 덩치와 비슷한 그 녀석은 연신 그 빵을 먹으며 나를 흘끔흘끔 뒤돌아보면서 바람처럼 달아났다. 나는 너무도 황당해 그 자리에 멍하니 서 있다가 배고픔을 참고 어머니와 나눠 먹기 위해 집으로 가져가던 점심을 강탈당했다는 사실에 눈물이 났다. 내 인생에서 처음으로 당한 범죄였다.

2학년이 되어 주변에 신설 학교가 생기면서 한 반의 정원과 학급수가 절반 가까이 줄어들어 이부제 수업은 벗어났지만 '국기에대한 경례', '애국가 제창', 박정희가 창제한 '국민교육헌장' 낭독. 그리고 교장선생님에 대한 거수경례와 기나긴 훈시로 이어지는 '월요일 아침 운동장조회'는 어린 나에게 끔찍한 고통으로 다가왔다. 겨울엔 고무신 속 발가락을 꼼지락거리며 바늘로 찌르는 듯한 고통을 조금이나마 참아보려 애썼고, 여름엔 일사병으로 쓰러지는 학생과 선생님들을 지켜보기도 했다.

더불어 간간이 일어나는 분실 사고에 대한 담임선생님의 단체체벌은 나를 학교에서 선생님 질문에 대한 답변 이외엔 어떤 말도 하지 않는 아이로 만들었다. 학교 수업은 이미 알고 있는 내용이 대부분이었고 당시 생활 형편에 따라 상, 중, 하로 나누어 매달 납부해야 하는 '육성회비'는 어머니의 잔소리와 선생님의 독촉 사이에서 책가방보다 더한 무게로 나를 짓눌렀다.

당시에 1~3학년까지는 남자와 여자를 반씩 섞어 반 편성을 했는데 2학년부터 '노**'가 내 짝꿍이 되었다. 노**는 보통의 체구, 얼굴에다 공부도 중간이었던 걸로 기억한다. 학기 중 분교로 한 반 인원이 7~80명 선으로 줄었기에 전교생이 반을 재편성하지 않고 3학년으로 올라가게 되어 노**와 2년간을 짝꿍으로 지내게 되었다. 나는 다른 예쁜 여자애와 짝꿍이 되지 못한 분풀이를 노**에게 했다. 책상 한가운데 선을 그어놓고 노**의 책과 공책, 연필이 넘어오면 그만큼을 칼로 잘랐다. 이를 알게 된 노** 부모님의 경고를 전해 듣고는 방법을 바꾸어 칼로 자르는 대신 그녀의 허벅지를 꼬집었다. 나중에 그녀 허벅지에 난 시퍼런 멍 자국으로 나의 만행이 탄로 났고, 그녀 부모님이 우리 집을 찾아와 나의 만행을 이야기해 어머니에게 혼이 났다. 알고 보니 노** 부모님과 내 부모님은 서로 알고 지내던 사이였다.

세월이 흘러 고 삼 때 학교 운동장에서 "어떤 여학생이 너를 찾는다"라는 친구의 전갈을 받고 기능대회에 참가한 그녀를 만나게 되었는데, 늘씬한 몸매에 예쁜 얼굴의 여학생이 되어있었다. 마치 동화 '미운 오리 새끼'에 나오는 백조처럼. 미소 지으며 깍듯하게 인사하던 너무 변한 그녀 모습에 당황하여 형식적인 몇 마디 대화만 나누었을 뿐 그녀의 연락처조차 물어보지 못하고 얼떨결에 헤어진 것이 못내 아쉬웠다.

3학년 초 나는 반장 선거에 나섰다가 근소한 표 차이로 '차**'에게 지고 말았다. 이후 '차**'와는 절친이 되어 함께 어울려 다녔다. 곱슬머리에 하얀 피부 그리고 서글서글한 눈매와 내가 잃어버린 명랑한 성격을 가진 친구로 기억된다. '차**'가 담임선생에게 부탁한 결과 4학년에서도 같은 반 절친이 되었지만, 1학기가 끝나갈 무렵 부산으로 전학을 가는 바람에 헤어지게 되었다. 이후 마음이 맞는 친구를 찾지 못해 한동안 좌충우돌하며 시간을 보내다 5학년 1학기에 담임선생의 만류에도 불구하고 '주소가 신설 학교 관내 지역에 있다'라는 이유로 통학 거리가 더 멀었던 이웃 신설 초등학교로의 전학을 택했다.

4학년이던 1972년. 박정희의 유신 선포로 인해 음산하게 억누르는 사회 분위기 속에서 손위 고모의 전도로 아버지가 '여호와의 증인' 종교에 빠져들면서 가족 모두가 이 종교를 믿게 되었다. '차**'와 교우를 통해 내성적인 성격에서 외향적으로 바뀌어 가던 나의 성격에 '위문품 사건'과 당시 '종말론'이 교리의 핵심이었던 '여호와의 증인'이란 종교 영향력은 장작불에 기름을 붓는 결과를 가져왔다. 외부로부터 가해지는 강력한 압박으로 인해 내부에서 심각한 혼란을 겪으면서도 '자존심을 지키기 위한 뻔뻔함'이란 갑옷으로 자신을 포장하는 조금은 이상하고 맹랑한 성격으로 탈바꿈한 것이다.

10월1일 '국군의 날'이 다가오면 모든 학생은 학교에 위문편지와 위문품을 제출해야 했다. 위문품으로 지정받은 수건을 내야 한다는 말을 들은 어머니는 장롱 깊이 넣어두었던 새 수건을 꺼내 주셨다. 다음날 교단에 보자기를 깔고 각자 가져온 위문품을 차례차례 들고 나가 그곳에 놓았다. 위문품을 둘러보시던 선생님이 두툼한 수건과 내가 낸 수건을 양손에 들더니 내가 낸 수건을 흔들며 "군인 아저씨가 이런 수건을 받으면 이렇게 좋은 수건을 받은 군인 아저씨에 비해 어떤 기분이 들겠느냐"며 "이수건 낸 사람 일어나!" 하는 것이었다. 나는 창피한 마음에 얼굴이 붉어지고 고개를 들지 못한 상태로 엉거주

춤 일어났다. 선생님은 내가 일어나자 약간 놀란 듯 바로 자리에 앉으라 하였지만 이후 난 가난이 불편하기만 한 게 아니라 자존심을 깔아뭉갤 수 있다는 사실을 깨닫게 되었다. 그리고 반장, 회장이란 감투와 성적표에 기록되는 '수'의 숫자가 실력보다는 엄마의 치맛바람과 '돈 봉투'에 의해 결정되는 모습을 지켜보면서 장차 어른이 되더라도 "선생님은 절대 되지 않겠다"라고 스스로 다짐했다.

은행알 추첨(이것이 내 생애 불운의 첫 단추였다)으로 진학하게 된 중학교는 당시 시 외곽을 한참 벗어나 산 중턱에 홀로 위치한 한 학년 5학급 규모의 작은 신설 학교였다. 고등학생과 함께 타야 하는 스쿨버스 이외엔 마땅한 통학 수단이 없었고, 항상 만원인 2번째 순환버스에서 밀려나 3번째 순환버스를 타면 당연히 지각하는 시스템이었다. 지각하면 종아리를 걷고 책상 위로 올라가 '대뿌리 매'를 맞았다. 지금도 기억나는 이 중학교의 특이한 점은 선생님 중 여자 선생님 비율이 다른 남자중학교에 비해 훨씬 높았고, 대부분 선생님이 학교 뒷산에서 채취한 4~50센티 크기의 대나무 뿌리로 만든 노란색 매를 검고 커다란 출석부와 함께 들고 다녔다.

1학년 봄소풍 때 일이다. 점심 후 장기 자랑 시간에 2학년 한 선배가 유행가를 개사한 노래를 불러 관중을 웃음바다에 빠뜨렸고 2등 상을 받았다. 문제는 후렴에 첨가한 "*딱고 *딱"이란 부분이 여성을 비하했다는 여자 선생님들의 항의로 소풍 며칠 뒤 그 선배는 유기정학 처분을 받았다. 2학년 선배들은 운동장에 모여 수업 거부 방식으로 항의했으며 나 역시 이런 학교의 처분을 이해할 수 없었다.

초등학교 5학년 무렵 분식 가게를 폐업하면서 아버지는 수년간 힘들게 모은 전 재산에 가까운 현금을 차용증 한 장 받지 않고 친척에게 사업자금으로 빌려주셨다. 공교롭게도 다음해 여름 태풍으로 영등포 한강 인근에 자리한 아이스크림 보관창고가 침수되어 친척의 사업이 망하는 바람에 우리 가족은 심각한 경제난에 처하게 되었다.

중학교 3학년 봄. 단칸방에서 궁핍하게 살아가며 더욱더 '여호와의 증인'에 심취해 몇 년을 허송세월하던 아버지가 결단을 내렸다. 시 변두리에 있는 야산 일부를 빌려 비닐하우스 3동을 짓고 '양계장'을 시작하면서 그곳으로 온 가족이 생활 터전을 옮기게 된 것이다.

말 그대로 비닐하우스 안에 만든 열악한 주거였지만 일, 이년마다 이삿짐을 싸지 않아도 되는 것이 좋았고, 최초로 장만한 브라운관 흑백 TV를 안방에서 편하게 볼 수 있어 좋았다.

처음엔 지하수 펌프 시설이 없어 150미터 떨어진 샘에서 물지게로 물을 길어 사람과 닭의 식수로 삼았다. 겨울에 쇠갈고리를 맨손으로 잡으면 손이 쩍쩍 달라붙던 느낌과 눈길에 미끄러져 물을 모두 엎질렀을 때 허탈감은 지금도 아련한 기억으로 남아 있다.

중학교 졸업과 함께 학교에서의 정규배움을 마무리하는 '여호와의 증인' 남학생 신도들과 달리 나는 '야간은 교련을 받지 않는다'라고 주장하면서 야간 고등학교에 가겠다고 부모님을 설득했다. (당시 야간도 교련을 받는다는 사실을 미처 몰랐다. 입학 후 난 교실을 지켰다)

무엇보다 공부만큼은 자신 있던 내가 중졸 학력으로 남게 된다는 게 자존심 상했고, 정상적인 배움 과정을 종교로 인해 멈추어야 하는 현실을 도저히 받아들일 수 없었다.

상업계 야간 고등학교에 다니면서 나 자신을 되돌아보게 되었고, 내 삶이 수렁 속으로 점점 깊이 빠져드는 느낌을 받았다. 상당한 시간을 고민하고 방황한 끝에 나는 '여호와의 증인'이란 종교를 버리고 '대학에 가겠다'라는 목표를 정했다. 그리고 아버지에게 말씀드렸다.

때마침 중학교를 마친 뒤 일정한 직업 없이 수년간 파이오니아(선교사) 생활을 하던 형이 같은 파이오니아 활동을 하던 열 살 연상의 자매님과 사랑에 빠져 그녀와 결혼하겠다고 부모님을 졸라댔다. 하지만 부모님의 결사반대에 형은 '사랑의 도피행각'이란 결정타를 날렸고 이 일로 부모님은 속칭 '멘붕'에 빠지셨다. 이런 상황에서 졸지에 장남이 되어버린 나는 아버지를 쉽게 설득할 수 있었다.

고3이던 1980년 5월 18일. 전년도에 독재자 박정희의 총격 사망과 12.12 쿠데타로 권력을 장악한 하나회 수장 전두환은 전국에 계엄령과 대학 휴교령을 선포하면서 군부독재의 새로운 문을 열었다. 이에 전국의 많은 지역에서 분개한 대학생들을 중심으로 거센 반발이 일어났는데, 특히 내가 거주하던 광주시는 박정희 시절부터 핍박 받아온 '김대중'이란 정치인으로 인해 거의 모든 시민이 울분과 허탈감에 빠져 있었다.

철저하게 고립된 채 불의와 맞서 싸운 열흘간의 광주민주화항쟁은 다시금 무자비한 군인들의 군화에 짓이겨졌고, "권력은 총구에서 나오며, 승리한 자가 정의로워진다"라는 트라우마를 '살아남은 자들'의 비굴한 양심에 깊게 새겨 넣었다.

'이렇게 부조리한 세상에 과연 하나님은 존재하는가?' '정의란 현실에서 실현 불가능한 허구에 불과한 것일지도 모른다.'라는 생각으로 인해 나는 종교에 대한 회의에 빠져들었고, 보수 우익의 불의와 만행에 맞서 싸우는 '좌 편향적인 사람'으로 점차 변해갔다.

결과적으로 **내 생애에서 '여호와의 증인'과 '5.18 광주 민주항쟁'은 가장 강력한 외생변수로서 내 삶을 관통했다.**

군입대를 앞두고 있던 1982년 늦여름. 시내버스를 타고 집으로 가던 중 갑자기 경찰들에 의해 대로를 달리던 시내버스가 골목길로 처박히게 되었고, 버스 뒷좌석에 앉아있던 나는 유리문으로 나의 삶에서 가장 역겨운 장면을 목격하게 되었다.

경찰 싸이카와 경호 차량이 겹겹이 둘러싼 삼엄한 경호를 받으며 대통령 전용 방탄차 뒷좌석 오른편에 앉아, 반쯤 내린 창문 사이로 미소 지으면 손을 흔들던 전두환의 모습이었다.

이날 난 너무도 분하고 창피한 마음에 잠을 이룰 수 없었다. 이것은 나를 포함한 광주시민에 대한 모욕이었다.

2. 대학, 군대 생활 그리고 취업과 결혼

집이 학교에서 멀다는 핑계로 3학년 2학기 4달간 고교 근처 '사설 독서실'에서 대학입시를 준비했다. 짧은 기간 동안 이곳에서 아이러니한 사건이 여럿 있었다. 이때 발생한 사건들로 인해 감추고 있던 서로의 진짜 모습을 알게 되어 절친이 된 김**와 만남이 이루어졌다.

인문계 고교를 다니던 이 친구를 포함해 독서실에서 생활하던 재수생 몇몇과 어울려 당시 유행하던 음악다방을 처음으로 갔고 담배를 피우며 커피도 마셨다. 일탈의 짜릿함이 강하게 전해져 왔다.

대학 졸업 후 서울 소재 공공기관에 취업해 나보다 먼저 결혼하였고 내가 결혼식 사회를 봐주기도 했던 김**와는 후에도 서로 연락하며 잘 지냈지만 안타깝게도 30대 어느 날 불의의 교통사고를 당해 한동안 뇌사상태에 빠졌다가 아내와 어린 아들 둘을 남기고 세상을 떠났다.

이 친구와 함께 군입대 전 3개월간 당시 유행하던 스탠드바에서 웨이터 알바를 했었다. 둘 다 김씨 인지라 난 '미스터 강'으로 불리었다. 단골손님 중에 세관에 근무하던 강씨 성을 가진 분이 종씨라고 올 때마다 팁을 주었다.

통행금지가 있던 시기라 밤 11시 영업이 끝나면 또래 바텐더가 가끔 서비스로 만들어 주던 마티니 한잔과 사장 몰래 따라 마시던 외국산 위스키 맛은 지금도 잊을 수 없다.

1981년도 대학입시는 대학 정원을 30% 늘리고 동일계 전형 시행, 내신성적 30% 반영 등 기존 대학입시와 대폭 다른 방식을 적용하였다. 그 결과 극심한 눈치작전과 하향 안정 지원으로 서울대 법학과를 비롯해 명문 지방대 인기 학과 상당수가 모집 정원에 미달하는 상황이 발생하였고 학력고사 184점이 서울법대에 합격하는 일이 벌어졌다.

나는 사립대보다 학비가 절반 수준인 국립전남대학교 경상학부에 동일계 전형으로 지원하였고 합격했다. 입학해 보니 동일계 전형 등 혜택으로 나의 출신고교 경상대학 합격자 수가 예년에 비해 두 배가 넘는 열댓 명이나 되었다. 선배들은 신이 났고 입학 후 한 달이 지날 무렵 경상대 뒷동산에서 '신입생 신고식'을 하게 되었다. 전통에 따라 기수별로 내려오는 속칭 '줄빳다'를 맞은 다음 만취 상태가 될 때까지 선배들이 권하는 막걸리를 마셨다.

술에 취해 처음 맞이하는 황홀한 해방감. 그 속에서 억눌려 있던 생각들이 생명력을 얻고 상상의 나래를 펼친 다음 자유롭게 날아다녔다.

술의 신세계를 접하고 난 이후 아버지와 달리 나는 '술이 꽤 세다'는 사실을 알게 되었고, 이런 자신감을 바탕으로 주당 동기 한 명과 어울려 다니며 캠퍼스에서 '착한 선배'를 만나면 막걸리를 사달라고 졸라댔다.

수업에 들어가던 한 선배는 2층 계단에서 본인의 학생증을 우리에게 던져주었다. 당시 경상대 건물 뒤편 철조망 쪽문을 나서면 마을로 향하는 좁은 길을 따라 저렴한 가격에 막걸리와 라면을 파는 예닐곱 가게들이 이어져 있었고, 경상대생들은 철조망 문에서 가까운 순서대로 101호,102호,103호... 강의실이라 불렀다. 나중에 '***호에 얼마'라는 정보를 전달받은 선배가 그곳으로 가서 우리가 마신 술값을 계산하고 자신의 학생증을 찾아간 적이 있었다.

당시 누구나 꿈꾸던 대학생이 되면 기나긴 세월 교복이란 억압 속에 갇혀 있던 자유가 풀려나고 이성 교제를 포함한 캠퍼스의 낭만을 만끽할 수 있으리라 기대했다.

하지만 현실 속 대학 캠퍼스엔 다른 억압과 차별적 우대라는 채찍과 당근을 교묘하게 이용한 전두환 독재정권의 시퍼런 칼날이 번뜩이고 있었다. 시내버스를 타고 학생증을 제시하면 50% 할인이 되었고 학교 주변 상가에서는 학생증을 맡기면 오늘날 신용카드처럼 외상이 가능했다.

당시 캠퍼스 내에는 영문 '타임' 잡지나 영어 카세트테이프 세트를 갖고 들어와 판매하는 사람들이 있었는데 이들 중 상당수가 사복경찰들이라는 얘기가 있을 정도로 대학에 대한 사찰이 심했다.

그럼에도 누군가 등사기로 제작한 시위 선동 '유인물'을 도서관 옥상에서 뿌리고 구호를 외치면, 이에 호응하는 이, 삼

학년 남학생을 중심으로 손수건으로 코와 입을 가린 다음 스크럼을 짜고 교내를 돌며 시위참가자를 늘려 나갔고, 정문과 후문에서 전경들과 피 터지는 전투를 벌였다. 동아리를 구심점으로 조직된 여학생들은 화염병과 깨트린 보도블럭 조각을 라면박스에 담아 부지런히 날랐다.

음악다방 DJ가 인기 직업이고 장발과 디스코가 젊음의 표상이던 시절. 대학의 낭만을 체험하고 사회의식을 함양할 목적으로 경상대 남학생 15명과 타 단과대 여학생 15명으로 한기수가 구성되는 써클(동아리)에 가입했다. 문학과 음악을 추구하는 비교적 온건한 동아리였지만 당시 시대 상황은 우리 모두를 독재정권에 맞서 싸우는 전사가 될 것을 요구하고 있었다.

왠지 모를 불만과 체념, 그리고 학업을 멀리한 채 동아리 활동에만 몰입한 결과는 '학사경고' 딱지가 되어 날아왔고 대학생활 1년을 마친 시점에서 군대에 가기로 마음먹었다.

1982년 시월의 마지막 날. 많은 친구가 집으로 찾아와 환송연을 열어 주었고, 다음날 아버지의 배웅을 받으며 대전행 버스에 올랐다.

차창에서 바라본 아버지는 손을 흔들며 눈물을 흘리고 계셨다. 아버지가 우시는 모습은 단칸방에서 생활고를 겪던 몇 년 전 이부자리에 누워 눈물을 흘리시던 모습 이후 두 번째였다.

당시 대전시 탄방동에 자리한 공군 훈련소에서 6주간의 신병 교육을 마치고, 35개월이란 짧지 않은 군 복무를 위해 광주시 인근 제1전투비행단 '군견반'으로 자대 배치를 받았다.

일과는 병장들의 침구 정리와 그들의 군화를 유리알이 되도록 닦는 일을 시작으로 배식 차량을 통해 배달된 세 번의 식사 준비 및 식판 설거지. 야간에 트럭을 타고 군견과 함께 20분을 이동해 이루어지는 4시간의 격납고 보초 근무. 그리고 군견을 돌보는 일(하루에 두 번 사료주기, 견사장 청소, 털 손질 및 상처치료) 을 마치고 나면 기상 후 취침까지 개인 시간을 내기가 어려웠다.

가장 큰 애로사항은 '꼽창'이라 불리는 고참병이 소집하는 '집합'이었다. 철저한 계급사회인 군대에서는 '입대 일자' 이외에 어떠한 것도 따지지 않는다. '꼽창'은 입대 전 사회에서 존재감 없이 살아온 비뚤어진 성격의 부족한 인간들이 대다수였다.

군견 사료 조리실 안 부뚜막 앞에 계급과 군번에 따라 2열 횡대로 도열해 있으면, 어슬렁거리며 '집합'을 명령한 '꼽창'이 나타난다. 그리고 거의 욕설이 절반인 언어폭력 후에 계급순서대로 내려오는 곡괭이 자루에 의한 엉덩이 구타가 이어졌다. (구타의 아픔을 줄이려 군복 바지 안에 츄리닝을 껴입는 사람

도 있었다. 난 아니다)

그중 최악은 꼽창이 취중에 소집하는 '야간집합'이었다. 순전히 꼽창의 기분에 따라 이루어지는 이런 집합은 잠을 자다 일어나 5분 안에 전투복으로 갈아입고 전투화를 신은 상태로 도열 해야 했고, 구타가 이루어질 경우 술에 취한 꼽창의 헛손질에 엉덩이가 아닌 허리나 허벅지를 맞을 확률이 높았다.

꼽창 중 최고 악질은 윤**이었다. 처음엔 같은 광주 출신이란 이유로 나를 부관으로 삼아 잘 대해주었다.

자대배치를 받고 8개월이 지난 시점에 내가 소개해 준 여자에게 차임을 당한 뒤 극히 신경질적으로 변했고, 화장실을 다녀오는 바람에 내무반 집합에 늦은 나를 앞으로 불러세웠다. 그리고 난로 옆에 관처럼 생긴 1.2m 길이의 빨간색 '방화사 보관함' 뚜껑을 들고서, 모서리로 내 머리를 두 차례 가격해 머리가 3cm가량 찢어지는 상처를 입혔고, 다음날이 되어서야 부대 내 의무실에서 치료받을 수 있도록 조치해 벌어진 상처를 꿰맬 수도 없었다.

그 일이 발생한 2개월 뒤 눈 내리는 날 밤. 윤병장은 내무반에서 술에 취해 함께 술을 마시던 내무반장 하사를 "어린놈이 싸가지 없다"라고 외치며 재떨이로 쓰이던 통조림 깡통으로 내무반장의 머리를 가격했고, 위협을 느낀 내무반장 하사는

술자리를 뛰쳐나가 머리에서 피를 흘리며 맨발로 눈 쌓인 도로를 걸어가다가 순찰차와 마주치는 사건이 발생했다.

하필 다음날 2박 3일간의 외출이 예정돼 있어 초저녁 근무를 마치고 '하번신고'를 위해 내무반에 막 들어선 나에게 윤병장이 술 심부름을 시켰고, 이 일로 술좌석에 참석했던 다른 3명과 함께 나도 10일간 사단 내 영창을 살게 되었다. (주범 윤병장은 2개월 영창이었다)

나의 경우 상관의 명령을 거부할 수 없는 억울한 상황이었음을 군 법무관도 알고 있었다. 하지만 사병들의 하사 무시 관행을 바로잡고, 준사관 사이에 확산하는 집단분노를 무마하기 위해 내려진 처분이었다.

더 억울한 것은 이 사건으로 인해 사단 내 경비소대에서 차출된 80여 문제 사병들과 함께 전국에 산재한 싸이트(레이다부대)로 전출이 예정된 '전출자명단'에 이름을 올리게 되었고, 한 달 뒤 다른 선임병 5명과 함께 전북 부안에 있는 싸이트로 전출되었다.

처음 배속받은 '군견반'에서 몇 달만 더 고생하면 내 위로 남는 선임병이 별로 없어 편안한 내무생활이 예정되어 있었건만, 해안가 산꼭대기에 자리한 이곳의 내무상황은 정반대였다. 몇 달 뒤 병장을 달고도 3개의 초소 중 가장 졸병이 근무를

서야 하는 열악한 초소에서 경비를 섰다.

전두환의 쿠데타 성공과 대통령 만들기에 일등 공신 '보안사'의 위세는 이곳에서도 단연 돋보였다. 부대 내 최고 지휘관으로 중령 계급장을 단 대대장이 하사 계급인 약관의 보안사 파견근무자에게 절절매는 모습을 보였고, 우리끼리는 이 보안대 하사를 '부대대장님'이라 비꼬아 불렀다.

초소 경비를 서면서 너무도 가혹한 나의 운명에 대해 생각해 보았다. 첫 단추가 잘못 채워진 결과 행운과는 담을 쌓은 듯 이어지는 나의 삶을 180도 바꿀 필요성을 깨닫고 모든 걸 새롭게 시작하겠다고 다짐했다.

군대에 있는 동안 광주의 부모님도 비닐하우스 생활을 접고 서울로 이주해 어머니는 가내수공업 공장에 다니고 아버지는 우체국 보험을 판매하며 자연스럽게 경제적 안정을 찾아갔다. 그리고 나는 제대 후 '서울 소재 대학 진학'과 '공무원 시험 합격'이란 두 가지 진로를 고민하며 영어와 수학 공부를 다시 시작했다.

제대 후 왕십리 학원에서 이**를 만났다. 까무잡잡한 피부색과 두꺼운 입술 탓에 '쿤타킨테'란 별명으로 불리워진 동갑내기 친구는 이후 서울시 지방공무원 시험에 합격하고 송파구청에 근무하면서 두 딸을 낳아 행복한 가정을 이루었으며 현재도 잘살고 있을 거라 생각된다.
서로의 집도 가깝고 나처럼 술을 좋아해 짧은 시간 동안 많은 추억을 쌓았던 이 친구와 지금은 아쉽게도 연락이 끊겼다.

1987년 서울의 성균관대학교 회계학과에 입학했다. 타 대학에 다니다 또다시 대입 시험을 치르고서, 새로이 대학 생활을 시작하는 예비역들이 생각 외로 꽤 있었다. 이들 중 몇몇과 죽이 맞아 대학 4년 시간을 금잔디광장과 도서관 그리고 대학로, 곱창 골목. 볼링장, 탁구장 등에서 함께 보내며 '캠퍼스 낭만'을 제대로 만끽했다.

비록 CPA 시험을 포기하였고 장학금이란 명목으로 받은 학자금 대출이 있었지만, 금호그룹 공채 10기로 금호건설(당시 회사명 '광주고속 건설사업부')에 입사하여 1990년 말부터 내 생애 처음으로 월급을 받는 정식사회인이 되었다.

입사 후 소공로에 위치한 그룹 사옥 16층에서 근무하던 중 나와 같은 경리부에서 대리로 근무하던 고교 선배의 소개로 22층에 근무하던 7살 연하의 여직원을 만났다. 서로를 '다누끼'(다람쥐)와 '키츠네'(여우)라 부르며 회사 동료들의 눈을 피해 시작된 비밀연애는 그녀가 "집에 가서 읽으라" 하며 직접 전해주는 손 편지 수십 통을 받으면서 아름다운 사랑으로 피어났고 1992년 5월에 결혼이란 열매를 맺을 수 있었다.

다음 해에 첫아들이 태어났고 3년 후 둘째 아들을 얻었다. 당시엔 남성 중심의 가부장 윤리가 사회 전반에 짙게 배어있던 시대여서 지금과 달리 아들을 낳으면 대단한 경사였다. 내 인생에서 가장 행복하고 화려한 순간이었다.

대기업체 신입사원으로 한 가정을 꾸리게 되었지만 시작할 때 재정이 너무 열악했던 탓에 나 혼자 수입으로 서울에서 안정적인 생활을 영위하기엔 어려움이 많았다. 그리고 대기업 특유의 상명하복식 조직체계와 능력보다는 상사와의 관계가 업무와 승진에 주요 변수로 작용하는 불합리한 조직문화가 나에겐 너무도 이질적으로 다가왔다. 거기에다 인천 **아파트 공사 부실 마무리로 인해 이를 항의하기 위해 몰려든 아줌마부대를 사옥 로비에서 동료 사원들과 함께 스크럼을 짜고 막아서야 하는 내 모습이 마치 시위 현장의 전투경찰을 연상케 했다.

결국 입사 2년 만에 리크루트회사를 통해 외국 법인 회사로 옮기게 되었고, 운명처럼 남자 쌍둥이 아빠 박**사장님을 만나 안정적인 수입과 인간적인 동료애 속에서 행복한 직장생활을 할 수 있었다. 지금도 감사한 마음이다.

제2화 **나의 애창시**

꽃

김 춘 수

내가 그의 이름을 불러주기 전에는
그는 다만
하나의 몸짓에 지나지 않았다

내가 그의 이름을 불러 주었을 때,
그는 나에게로 와서
꽃이 되었다.

내가 그의 이름을 불러준 것처럼
나의 이 빛깔과 향기에 알맞은
누가 나의 이름을 불러다오
그에게로 가서 나도
그의 꽃이 되고 싶다.

우리들은 모두
무엇이 되고 싶다.
너는 나에게 나는 너에게
잊혀지지 않는 하나의 눈짓이 되고 싶다.

*** ‘어린왕자’가 무거운 육체를 버리면서까지
자신의 별에 두고 온 꽃에게로
되돌아가겠다고 했을 때 나는 이 시를 떠올렸다.
그리고 ‘어린왕자’가 그 별로 돌아가
그 별의 유일한 한 송이 장미꽃에게
어떤 이름을 지어 주었을까 궁금했다.
애완동물도 이름을 갖는 오늘날 세상에서
내가 알고 지낸 사람들 이름을
하나하나 불러보았다.
그리고 그 이름들이 나에게 주는 의미를
새로이 음미하며 그들이 갖고 있을
‘나에 대한 의미’가 궁금해졌다. ***

엄마야 누나야

김 소 월

엄마야 누나야 강변 살자.

들에는 반짝이는 금모래 빛.

뒷문 밖에는 갈잎의 노래

엄마야 누나야 강변 살자.

*** 어린 시절 라디오에서 흘러나오는
이 노래를 들으면서
당시 유일한 가족이었던 어머니와
영원히 행복하게 살 수 있기를 소망했다.
3/4박자 리듬의 이 노래가 뭔지 모를 그리움과
안타까움으로 내 영혼을 사로잡았던 이유는
'한국적 낙원'을 그려낸 짧은 가사(시)에 있었다.

흐르는 강물 속에 사사로운 집착들을 흘려보내고,
황금보다 더 풍요로움을 느끼게 해주는
금모래 속에서의 자유로운 생활.
시원한 바람을 타고 들려오는
소소하지만 나를 힐링시켜 주는 자연의 소리.
이런 곳에서 사랑하는 사람과 함께 살아가는 것은
'진정한 행복'이라 감히 말할 수 있을 것이다. ***

진달래꽃

김 소 월

나 보기가 역겨워

가실 때에는

말없이 고이 보내 드리오리다

영변의 약산

진달래꽃

아름 따다 가실 길에 뿌리오리다

가시는 걸음 걸음

놓인 그 꽃을

사뿐히 즈려 밟고 가시옵소서

나 보기가 역겨워

가실 때에는

죽어도 아니 눈물 흘리오리다

*** 남녀 사이에 피어난 사랑은 유효기간이 있다.
멀어져 가는 연인의 마음을
끝내 붙잡을 수는 없다.
두 사람이 함께 만들어 낸 사랑의 결실 '진달래꽃'.
차라리 떠나는 사람이 그 '사랑의 결실'을
즈려밟고 떠나 줌으로 인해,
나 역시 눈물을 참으며 '그 사람'과 '사랑의 결실'
그 모두를 잊을 수 있으리라. ***

시 월

황 동 규

내 사랑하리 시월의 강물을
석양이 질어가는 푸른 모래톱
지난날 가졌던 슬픈 여정들을,
아득한 기대를
이제는 홀로 남아 따뜻이 기다리리.

지난 이야기를 해서 무엇하리
두견이 우는 숲새를 건너서
낮은 돌담에 흐르는 달빛 속에
울리던 목금소리 목금소리 목금소리.

며칠내 바람이 싸늘히 불고
오늘은 안개 속에 찬비가 뿌렸다
가을비 소리에 온 마음 끌림은
잊고 싶은 약속을 못다 한 탓이리.

(이하 4~6연 생략)

*** 대금을 불던 내가 가장 좋아한 사촌 형이 있었다.

젊은 어느 가을날 스스로 세상을 등졌다.

가장 순수하고 뜨거웠던 나의 스무살 열정은

시월의 마지막 날 군입대 환송식과 함께

사라져 버렸다.

그리고 '잊고 싶은 약속을 못다 한 탓이리'란 구절은

늘 부족하기만 한 내 삶의 여정에서

가슴 깊은 곳에 자리한 회한으로 남았다.

'내 인생'이란 연극의 3막을 열면서

'시월'을 새롭게 음미해 본다. ***

서 시

윤 동 주

죽는 날까지 하늘을 우러러

한 점 부끄럼이 없기를.

잎새에 이는 바람에도

나는 괴로워 했다.

별을 노래하는 마음으로

모든 죽어 가는 것을 사랑해야지

그리고 나에게 주어진 길을

걸어가야겠다.

오늘 밤에도 별이 바람에 스치운다.

*** 인간은 크든 작든 죄를 짓고 산다.
하지만 부끄럼 없는 삶을 살고자 애써 노력하는
사람의 몸짓은 참으로 아름답다.
어느 것에도 기대지 않고 무소의 뿔처럼
혼자 가는 삶을 살고자 지내온 세월이
어느덧 열다섯 해를 넘겼건만,
불쑥불쑥 찾아오는 외로움과 분노는
'휴머니스트'로 남고자 하는
내 삶의 목표에 어두운 그림자를 드리운다.
오늘도 사소한 삶의 시련들이
비수가 되어 내 가슴을 스치운다. ***

국화 옆에서

서 정 주

한 송이의 국화꽃을 피우기 위해
봄부터 소쩍새는
그렇게 울었나보다

한 송이의 국화꽃을 피우기 위해
천둥은 먹구름 속에서
또 그렇게 울었나보다

그립고 아쉬움에 가슴 조이던
머언 먼 젊음의 뒤안길에서
인제는 돌아와 거울 앞에 선
내 누님같이 생긴 꽃이여

노오란 네 꽃잎이 필라고
간밤엔 무서리가 저리 내리고
내게는 잠도 오지 않았나보다

*** 국화꽃처럼 단아한 기품을 발산하는 나이는
40대 이후라고 들은 것 같다.
불혹과 지천명을 지나 이순에 도착한 나.
나는 과연 국화꽃처럼 피어나고,
그 모습에 걸맞은 삶을 살아가고 있을까?
내가 발산하는 색깔과 향기는
월동 준비에 바쁜 꿀벌들을 유혹하기에
충분히 매력적인 색과 향기일까? ***

가지 않은 길

로버트 프로스트

(이민정, 장원 역)

노랗게 물든 숲 속에 두 갈래 길이 있었습니다.
몸이 하나여서 두 길을 모두 가지 못하는 것이 안타까워
오래도록 서서 한 길이 덤불 사이로 굽어지는 곳까지
멀리, 저 멀리까지 내다보았습니다.

그리고는 다른 길로 나아갔습니다. 똑같이 아름답지만
더 나은 길처럼 보였습니다.
풀이 무성하고 닳지 않은 길이니까요.
그 길도 걷다 보면
두 길은 똑같이 닳을 것입니다.

까맣게 디딘 자국 하나 없는 낙엽 아래로
두 길은 아침을 맞고 있었습니다.
아, 다른 길은 후일을 위해 남겨두었습니다!
길이란 길과 이어져 있다는 걸 알기에,
다시 돌아오지 못할 것이라 생각하면서요.

나는 한숨을 쉬며 말하겠죠.
까마득한 예전에:
두 갈래 길이 있었습니다. 그리고 나는 -
나는 사람들이 적게 간 길로 나아갔고,
그것이 모든 것을 바꾸었다고.

*** 내가 선택한 이 길이 과연 최선이었는지
가끔 자문해 본다.
시간은 되돌릴 수 없기에
내가 걸어온 길 역시 되돌아갈 수 없다.
하지만 마음속에 떠오르는 분명한 한 가지는
'내가 가지 않은 길'에 대한 동경과 궁금증으로
묵묵히 걷고 있는 지금 이 길을 사랑하지 않는다면,
여정의 마지막 순간
지난 시간에 대한 후회만 더 쌓일 뿐이란 것을. ***

묏비나리 -젊은 남녘의 춤꾼에게 띄우는

('임을 위한 행진곡' 가사 모태가 된 시)

백 기 완

(전략)

사랑도 명예도 이름도 남김없이
한 평생 나가자던 뜨거운 맹세
싸움은 용감했어도 깃발은 찢어져
세월은 흘러가도
구비치는 강물은 안다
벗이여 새 날이 올 때까지 흔들리지 말라
갈대마저 일어나 소리치는 끝없는 함성
일어나라 일어나라
소리치는 피맺힌 함성
앞서서 가나니
산 자여 따르라 산 자여 따르라

(후략)

*** << **임을 위한 행진곡** >>

사랑도 명예도 이름도 남김 없이
한 평생 나가자던 뜨거운 맹세

동지는 간 데 없고 깃발만 나부껴
새 날이 올 때까지 흔들리지 말자

세월은 흘러가도 산천은 안다
깨어나서 외치는 뜨거운 함성

앞서서 나가니 산 자여 따르라
앞서서 나가니 산 자여 따르라 ***

누가 보아주지 않아도

박 노 해

알려지지 않았다고
존재하지 않는 것이 아니다.

드러나지 않는다고
위대하지 않는 것은 아니다.

누가 보아주지 않아도
밤하늘에 별은 뜨고
계절따라 꽃은 피고

누가 보아주지 않아도
나는 나의 일을 한다.

누가 알아주지 않아도
나는 나의 길을 간다.

*** 언제부턴가 '자부심'과 '긍지'란 추상적 단어가
내 마음을 요동치게 했다.
세상의 권력과 명예를 얻고자 하는
인간의 욕망은 끝이 없건만,
법정 스님의 해탈한 삶은 아닐지라도
스스로에 만족해 사는 삶은 옹골지다.
나의 존재가치는 내가 만들고 내가 증명하는 법.
먼저 자신을 살피고
연결된 소중한 관계를 아름답게 꽃피우며
내 삶을 알차게 살아가리라. ***

내 인생의 빛깔

김 상 현

내가 태어났을 때 세상은
새하얀 도화지 한 장을 주었다.

어린 시절 그 도화지에 자주 그렸던 그림은
노오란 병아리와 개나리꽃 이었다.

아침이슬 머금은 풋풋한 연두에서 시작된 나의 십대는
화약 내음 짙은 국방색으로 갈무리 되었다.

파랑새를 찾아 떠난 푸르른 시간 들은
소용돌이치며 솟구치던 뜨겁고 붉은 피에 젖어
나의 이십대는 고귀한 보랏빛으로 남았다.

장년기에 줄곧 입었던 정장 색깔은
다양한 색들과 어울리며 물들어 버린 검은색이었다.

이제 한가로이 오렌지빛 석양 노을을 바라보며

빛바랜 갈색 추억을 더듬어 본다.

그리고 새까만 어둠을 헤집고 솟아오른

언제나 투명한 오늘의 햇살 속에서

온기가 느껴지는 누군가의 손을 잡고

하얗게 눈 덮인 아득한 산길을

쉼 없이 걸어가고 싶다.

청 춘

사무엘 울만

청춘이란 인생의 어느 한 시기가 아닌
사람의 마음가짐을 뜻한다네.
청춘은 장밋빛 볼, 붉은 입술, 부드러운 무릎이 아니라
풍부한 상상력과 왕성한 감수성, 의지력
그리고 인생의 깊은 샘에서 솟아나는 신선함을 뜻한다네.

청춘이란 두려움을 이기는 용기,
아니함을 뿌리치는 모험심,
그리고 탁월한 정신력을 뜻한다네.
때로는 예순 살 노인이 스무 살 청년보다
더 청춘일 수 있다네.

세월이 흐른다고 늙는 것이 아니라
이상을 잃어버릴 때 늙는 것이라네.
세월은 피부에 주름을 새기지만
열정으로 채워진 마음을 시들게 하지는 못한다네.

근심과 두려움, 자신감의 상실이
우리 기백을 죽이고 마음을 시들게 한다네.
나이가 예순 살이든 열여섯 살이든 가슴 속에는
경이로움을 향한 동경과 어린이 같은 왕성한 탐구심과
인생에서 기쁨을 얻고자 하는 열망이 있는 법이라네.

그대의 가슴속에 그리고 나의 가슴 속에는
마음의 안테나가 있어
인간과 신으로부터 아름다움과 희망, 기쁨, 용기,
힘의 영감을 받는 한
우리는 언제나 청춘일 수 있다네.

그대 가슴 속에 안테나가 무너지고
정신이 냉소와 비관의 눈으로 덮일 때
그대가 비록 스무 살이라고 하더라도 노인이지만,
가슴 속 안테나를 높이 세우고 희망을 품고 있는 한
그대가 비록 여든 살이라도 죽을 때까지 청춘이라네.

제3화 그 시절 그 모습

∬ 그 시절 그 모습 (1) ∬

칠십, 팔십년대 식당이나 이발소 등 서비스업을 하는 가게에 가보면 "삶이 그대를 속일지라도 슬퍼하거나 노하지 말라"로 시작되는 '푸쉬킨'의 시와 그림이 그려진 액자, 또는 성서 욥기 8:7의 "네 시작은 미약하였으나 네 나중은 심히 창대 하리라"는 액자가 가게 벽에 걸려있는 모습을 흔히 볼 수 있었다.
그리고 약간이나마 먹 내음 풍기는 가정집 거실에는 "家和萬事成"(가정이 화목하면 모든 일이 잘된다는 의미) 또는 "修身齊家治國"(먼저 자기 몸을 바르게 가다듬은 후 가정을 돌보고, 그 후 나라를 다스려야 한다는 의미) 을 힘찬 정자체로 쓴 붓글씨 액자가 걸려있곤 했다.
우리 한민족의 삶 속에 깊게 뿌리내린 '경제적 풍요로움에 대한 간절한 소망'과, 다소 유교적이며 가부장적인 '정치의식'을 단적으로 드러내 보여주는 글들이라 생각한다.

한 나라를 이끄는 지도자라면 자신의 명예를 소중히 여기는 자세, 즉 '滅私奉公'(자신만의 이익을 버리고 공공을 위해 봉사한다) 의 자세로 국민이 위임한 책무를 성실히 수행해 나아가길 대다수 국민은 바랄 것이다.
그리고 그 지도자가 임기를 마치고 다시 국민의 한 사람으로 돌아갔을 때 임기 동안 이룩한 '국정운영의 공정성과 효율성,

상대에 대한 포용력, 그리고 공약 이행 정도'를 반영하여 국민은 그 지도자를 평가하게 될 것이다.
불행하게도 우리나라는 훌륭한 대통령을 거의 만나지 못했다. 아니 '修身齊家'라는 기본과정마저 넘어서지 못한 대통령이 대부분이었다는 게 개인적인 생각이다.

2024년 현재 대한민국을 이끌어 가고 있는 검찰 출신 대통령의 직무수행을 국민 한 사람으로서 냉정하게 평가해 본다. 그의 무능과 독선은 '修身'이 되지 않아서이고, 영부인, 장모를 포함해 대통령을 둘러싼 사람들이 저지르고 있는 추접한 짓거리는 '齊家'가 이루어지지 않은 탓이다.
나의 조국이요 나의 후손들이 대대손손 살아갈 이 나라가 장차 어찌 될 것인지 현재로선 답답하고 안타까울 따름이다.

개인 견해로 대통령 중심제란 정치 시스템은 로마나 미국과 같은 패권국가에 어울리는 정치 시스템이라 생각한다. 보장된 임기 동안 안정적 국정운영이라는 유리한 점이 존재하지만, 그 동안 무능하고 편향된 대통령이 초래하는 인명 희생과 국력 낭비를 우리 국민은 손 놓고 지켜보아 오지 않았던가?
이제는 '독일식 의원내각제' 같은 '책임지는 정치 시스템'으로 우리 정치를 바꿔야 할 때가 되지 않았는가 하는 조심스러운 주장을 해본다.

∬ 그 시절 그 모습 (2) ∬

등굣길. 교문 양옆에 생활지도 선생님과 선도부 학생들이 진을 치고 서서 매의 눈으로 등교하는 학생 하나하나를 살핀다. 눈이 마주친 한 선도부가 오른손 집게손가락을 오므리며 자신에게 오라 손짓한다. 학년, 반, 이름을 적고 머리와 복장에 대한 규칙 위반 사항을 바로 잡기 위한 조치를 한 뒤에야 이들의 검문을 빠져나와 교실을 향해 걸어갈 수 있다. 이것이 중학, 고교 시절 등교 모습이다.

해방 이후 구십년대 까지 우리나라 중, 고생들은 남, 여 할 것 없이 통일된 형태의 교복을 입어야 했고, 남학생은 머리를 짧게 깎고서 교모를 써야 했다. (인기 TV 프로그램 '쟁반노래방' 출연자가 입었던 복장이다) 나의 학창 시절은 술집에서 술을 마시다 취중에 대통령을 비판한 어떤 사람이 사복경찰에 연행되어 간첩으로 몰리는 냉혹한 독재정권 시절이었다. 따라서 일제 강점기 일본에서 들어온 교복 문화가 모든 국민에게 '군인은 군복, 학생은 교복'이란 인식을 심어주며 저항감 없이 당연하게 받아들여졌다.

남학생들이 늦가을부터 봄까지 입어야 했던 동복(겨울 교복) 디자인과 색상은 전국의 모든 학교가 검은색의 일본 교복(가쿠란) 디자인을 따르도록 했다. 더위를 덜기 위해 입는 하복(여름 교복)은 남자 중학생의 경우 하늘색 반 팔 와이셔츠에 쑥색 바지, 여중생은 흰색 와이셔츠에 검정치마로 전국이 통일돼 있었다.
하지만 고등학교 하복은 학교마다 색상과 디자인이 다양했다. 특히 여고생들의 교복은 차별화가 심했는데, 남자 고교생들 사이에서 같은 지역 여고를 대상으로 하는 '여고 교복 인기투표'가 이루어지기도 했다. 방과 후에도 교복 착용이 원칙이었으므로 학생들은 자기 교복에 각자의 개성을 반영코자 나름의 변형을 가했다. 남학생은 바지통, 여학생은 허리선과 치마 길이에서 기준선을 넘나드는 아슬아슬한 줄타기를 해야만 했다.

오늘날 우리나라 정치와 사회 분야에서 두드러지게 나타나고 있는 '내 기준에서 벗어난 상대방을 적으로 간주하고 나의 잣대를 들이대는' 행태가, 다양성을 인정하지 않는 '획일적 교복 문화'에서 출발한 게 아닐까? 하는 생각을 해본다.

민주주의는 '진보'와 '보수'라는 두 개의 날개로 비행한다.
문제는 '상대가 나에게도 필요한 파트너'란 사실을 인정하지 않는 흑백논리와 진정한 진보와 보수를 가려내어 이들에게 국정을 맡기는 안정된 정치 시스템이 없다는 데에 있다.

'누구를 대통령으로 뽑을 것인가?' 하는 것보다 진정한 진보와 보수를 지향하는 인재를 발탁하고, 이들을 키워내는 '공정한 정치 시스템'을 대다수 국민 동의로 만들어 내는 것이 오늘 대한민국호에 탑승한 모든 국민에게 주어진 당면과제라 할 것이다.

∬ 그 시절 그 모습 (3) ∬

지금 대한민국은 출산율의 급속한 하락으로 '국가 소멸'이란 위기를 맞고 있다. 1960년대만 해도 한 가정에 평균 자녀 수가 4명을 넘었고, 10남매 중 몇 번째란 식으로 부모님의 형제, 자매(삼촌, 외삼촌, 고모, 이모)를 기억해야 하던 시절이 있었다.

당시 정부는 인구수를 국가경쟁력으로 인식하지 못하고, 경제(살림살이)를 어렵게 만드는 원인으로만 치부해 "덮어놓고 낳다보면, 거지꼴을 못면한다"는 직설적인 구호를 내걸고서 전 국민에게 산아제한을 종용했다.
하지만 당시 유교적 윤리에 따른 가부장적 문화가 강한 집안에서는 '제사'와 '대를 잇는다'는 전통 개념을 절대 포기할 수 없었고, 그 결과 '오공주' '칠공주'집을 심심찮게 볼 수 있었다.
이에 정부는 남녀평등을 내세우며 "아들딸 구별말고, 둘만낳아 잘기르자"라는 켐페인을 대대적으로 벌이면서 셋째 이후 출생 자녀에게는 불이익을 주었다.

셋째 아이부터 제왕절개 의료보험 적용배제, 중절(낙태) 수술 허용, 콘돔 무료 배포, 매년 1회 5일간 실시하는 예비군 훈련 첫날 불임 시술자에게 남은 일자 훈련 면제 등 다양한 정책이 활용되었다.

대한민국의 성공적 산아제한 정책은 이제 역효과를 낳고 있다. 문제의 핵심은 자녀를 하늘이 보내준 사랑스러운 '선물'이 아니라 '부담'으로 여기게 되었다는 점이다. (부담을 돈으로 포장할 수는 없다. 현재 논의 중인 출산 장려를 위한 금품제공은 근시안적 당근 정책으로 근본 해법이 될 수 없다는 것이 내 생각이다.)
아이 한 명을 낳아 대학까지 졸업시키는데 수억의 돈이 들어가고(사교육비 부담이 가장 크다), 미운 일곱 살에서 시작되어 사춘기를 거쳐 성인이 될 때까지 성장 과정에서 겪게 되는 오해와 갈등으로 인해 부모와 자식 모두 스트레스와 상처를 받기 마련이다.
무엇보다 모두가 겪고 있는 무한경쟁 사회 구조 속에서 대학 졸업 후에도 녹녹지 않은 취업과, '억'소리 나는 집값과 전세가로 인해 결혼을 꿈꿀 수 없게 만드는 현실은 '자식은 낳아 공부시키는 것으로 끝이 아니다'하는 인식을 대다수 국민이 갖도록 만들었다.

우리 사회에 뿌리 깊은 '가난에 대한 차별'과, '상대적 박탈감'에 쉽게 빠져들어 자신만의 소중한 가치를 깨닫지 못하도록 만드는 병적인 사회 구조가, 자녀를 부담으로 여기는 그릇된 풍조를 부추기는 것 같아 안타까울 따름이다.

어린 시절 추운 겨울밤. 이불속에 서로의 다리를 사이사이 끼워 넣고 하던 "한 다리~ 두 다리~ 열두 다리~" 놀이와, 캄캄한 밤 바깥 화장실 가는 것이 무서워 다리를 꼬아가며 오줌을 참고 있을 때 누군가 같이 가 주겠다며 내밀던 구원의 손길. 이 순간 나는 군중 속 어울림이 주는 안정감과 핏줄이 주는 끈끈한 유대감을 느낄 수 있었다.

∬ 그 시절 그 모습 (4) ∬

정치에 대한 무관심을 유도하기 위한 전두환의 3S(Screen, Sport, Sex) 정책이 시행되기 전 60, 70년대엔 라디오와 흑백 TV가 중요한 생활 도구였다.
TV가 없던 나의 어린 시절. 라디오는 지금의 핸드폰과 같았고 방과 후 '라디오 방송 연속극 시리즈'를 듣는 것은 숙제보다 더 중요한 일과였다.

건전지를 아끼기 위해 정해진 시간에 라디오를 켜고 들어야 했던 그 시절 프로그램 중에서 내가 가장 좋아한 것은 '손오공'과 '마루치 아라치'였다. 손오공의 "우랑바리 다라나 바로롱 무따라까 따라마까 쁘라냐. 손오공 나오너라 요있!" 주문을 따라 외칠 때면 마치 내가 손오공이 된 듯한 기분이 들곤 했다.

'손오공'이 인기를 끌자, 방송국은 '손오공을 연기하는 성우가 남자인지 여자인지'를 맞추면 추첨으로 손오공이 그려진 반 팔 티셔츠를 제공하는 프로모션을 진행했는데 아이들 사이에 이를 두고 갑론을박이 벌어졌다. (정답은 여자였다. 나는 남자라고 우겼다)

이후 '저팔계'와 '사오정'은 손오공처럼 왜 주문이 없느냐는 요청이 잇따르자 '저팔계'의 "훙냐 훙냐 쭈라따까 로이해 말라사바 꾸~이"란 주문이 만들어졌고, 사오정은 귀가 먹어 주문이 없다고 했다.

흑백 TV가 보급되면서 나의 관심은 만화영화로 옮겨갔다.
당시 만화방에선 10원을 내면 1시간 동안 TV가 놓여있는 발냄새 진동하는 방에 입장해 다닥다닥 붙어 앉아 TV를 시청할 수 있었다. (나중에 수요가 넘쳐나자 30분에 10원으로 올렸다) 입장할 때 낸 돈에 따라 퇴장 시각을 손바닥에 볼펜으로 써주었는데, TV 시청 도중 흥분해 손에 땀이 차 일부분이 지워지는 경우가 종종 있었다. 당연히 가게주인의 의심에 찬 눈초리가 따라붙었다.

'미키마우스' '톰과 제리' '철인 28호' '로봇 태권 V' 등이 인기 있는 만화영화였던 것 같다.
그때 당시엔 '웃으면 복이 와요'란 코미디 프로가 '여로'란 성인 연속극과 더불어 큰 인기를 끌었다. 코미디언 배삼룡, 이기동, 서영춘, 구봉서 네 사람은 특히 인기가 많았는데 이들이 만든 유행어를 따라 하는 것이 장기 자랑의 기본이 되었고 '비실이 배삼룡'의 개다리춤은 춤의 정석인 양 유행을 탔다.

한때 가족 간 대화 단절의 원흉으로 지목받으며 '바보상자'라 불리기도 했던 TV였지만, 같은 식탁에 앉아 식사하면서도 대화는커녕 마주 앉은 부모의 질문에 핸드폰 메신저로 답하는 요즘 아이들과 살아가다 보니, 가족이 모여 앉아 간식을 먹어가며 화기애애한 분위기 속에서 인기 TV프로를 시청하던 그때 그 시절이 그리워진다.

'사람 사는 맛'이란 눈앞에 보이는 짧은 순간의 짜릿함이 아니라 가슴 깊은 곳으로부터 솟아오르는 잔잔한 감동이란 걸 모든 사람이 깨닫게 될 날은 언제쯤일까?

∬ 그 시절 그 모습 (5) ∬

“민중의 지팡이”

경찰을 지칭하는 말이다.

지금은 아니지만 예전 나에게 경찰에 대한 호칭은 언제나 “짭새”였다.

경찰 하면 먼저 떠오르는 건 고속도로에서 함정단속을 하는 ‘고속도로 순찰대’이다.

흰색 화이바에 검정 선글라스 그리고 말장화로 상징되는 오토바이 순찰대는 주로 내리막이 끝나는 지점의 커브길 우측에 있다가 과속카메라로 과속차량을 단속한다.

수신호로 과속차량을 긴급차로에 정차시킨 후, 서서히 다가와 거수경례 후 위법 사실을 말하면서 운전면허증을 요구하면 운전자는 약속한 듯 오천원권 지폐를 운전면허증과 함께 제시하였다. (나중에 만원으로 올랐다)

고속도로 순찰대를 하면 ‘일 년에 집 한 채를 산다’든가 ‘근무교대 후 말장화를 벗으면 고린내 나는 지폐 100장이 쏟아진다’라는 말이 있을 정도로 이들의 부패는 공공연한 비밀이었다.

경찰 중에는 훈련소에서 징집되어 시위 진압을 하는 '전투경찰'과 지원제로 군복무 대신 경찰 보조업무를 하는 '의무경찰'이 있었다. 의무경찰은 사회 경험이 없어 일반경찰처럼 업무처리가 매끄럽지 못했다.

IMF 시절 어려운 한때를 보내고 있던 어느 날. 오거리 직진 2차선에서 신호를 기다리다 좌회전 신호 후 직진 신호가 나와 직진하는데 갑자기 의무경찰이 튀어나와 차를 길 한편으로 세우라는 것이었다. 나에게 '차선위반'을 했다며 면허증을 요구하길래 "내 앞차가 직진 차선에 있다 불법 좌회전한 거라"고 말해주었지만, 이 녀석은 '단속 실적' 부담 때문인지 오히려 나를 파렴치한 사람으로 몰았다. 벌금을 떠나 '내가 저지르지 않은 위법한 일로 억울함을 당할 수 없다'라는 생각에 끝까지 면허증 제시를 거부하고 버티었다. 이때 일로 경찰에 대한 부정적인 시각은 더욱 깊어졌다.

일반 경찰 중에 '보안과' 소속 사복경찰이 있었다. 이들은 추석과 설이 가까워 지면 관할 기업체들을 돌아다닌다. 그리고 관례처럼 기업체들이 준비한 '돈 봉투'를 받아 갔다. 사장 지시로 오십 만원을 넣은 돈 봉투를 내가 직접 준비해 준 적이 여러 번 있었다.(당시엔 세무서 부가세과 직원도 이들처럼 부가가치세 확정신고 직후에 들르곤 했다)

우리나라 공무원 청렴도는 예전과 비교할 수 없을 정도로 높아졌다. 하지만 아직도 '기계가 원활하게 돌아가는 데 약간의 기름칠이 필요하다'라는 생각을 하는 사람들이 엄연히 존재한다.

정의란 '그들만의 이익을 도모하기 위한 불공정한 행위'를 그만두는 데에서 시작된다는 것을 모두가 인식했으면 좋겠다.

무엇보다 이런 떳떳하지 못한 '돈 봉투' 거래는 주고받는 이들 모두의 양심에 부끄러운 상처를 남기며, 그 돈을 받아 사용하는 사람의 흔적만 더럽힐 뿐 그 돈이 값어치 있게 쓰일 수 없다는 점을 알았으면 한다.

∬ 그 시절 그 모습 (6) ∬

첫 직장 금호건설에 근무하던 32년 전 일이다.
관급공사 수주 업무를 전담하는 회사 '업무부'에서 과장으로 근무하던 선배로부터 다른 대기업 건설회사에 근무하는 고교 선배를 만나게 해주겠다는 연락을 받았다.
점심시간에 맞추어 선배와 함께 반포동에 있는, 규모가 꽤 큰 한정식집으로 가게 되었다. 가장 큰 방으로 보이는 곳으로 종업원의 안내를 받아 가보니 정장 차림을 한 수십 명이 이미 자리를 잡고서 식사하고 있었다.
소불고기 백반으로 점심을 마치자 삼삼오오 모여 앉아 술판을 벌이거나 고스톱을 치기 시작했고, 나는 이런 와중에 선배를 소개받고 인사를 드렸다. 그리고 한시가 되자 누군가 마이크를 잡고 맨 앞으로 나와 장내 정리를 시작했다.
사회자는 준비된 차트를 넘겨 가면서 다음 달 발주 예정 관급공사 중 첫 번째 공사에 대하여 '내정가'와 개략적인 설명을 마친 뒤, 도급 순위 1위인 '현대건설'을 시작으로 이 자리에 모인 도급 순위 50위까지의 1군 건설업체명을 하나하나 호명하여 이들의 대답을 듣는 식으로 회의가 진행되었다.

그날 서해안 고속도로 한 구간을 포함해 세 곳의 입찰공사를 담합 한 것으로 기억하는데, 각 건설사를 대표해 나온 직원들 대답은 "불참하겠습니다" 가 대부분이고 "적극 협조하겠습니다"가 가끔 나왔다.

"적극 협조하겠습니다"의 의미는 입찰이 성사되려면 최소 세 곳 업체가 입찰의향서를 제출해야 하는데, 이 일을 오늘 선정된 관급공사 낙찰 예정 회사와 호흡을 맞춰 입찰을 진행해 주겠다는 뜻이었다.

도중에 한 입찰 예정 사업에 3개 회사가 서로 하겠다고 다투어 한 회사는 다음번 모임에서 최우선권을 주는 것으로 정리하고, 나머지 두 회사는 공동 수주하는 방식으로 사회자가 해결책을 제시하는 것 같았다.

'성수대교 사고', '삼풍백화점 붕괴 사고'를 비롯해 선진국 반열에 진입한 오늘날에도 대기업 건설회사가 시공한 아파트가 준공도 하기 전 붕괴하는 등 우리나라 토건 업계의 후진성은 여전하다.

가장 큰 원인은 잘못된 '하도급 관행'이다.

수주한 회사는 모든 공사 진행을 하도급 업체에 수주액의 80~85%에 넘긴다. '하도급' 업체는 이를 공사 부분별로 쪼개어 ‘재하도급’ 업체에 넘기면서 그들의 적정마진 15%를 취하는 형태이다.

정상적인 이익을 취하기 힘든 구조 속에서 실제 공사를 맡은 ‘재하도급’ 업체들은 철근 등 투입 자재를 빼먹거나 시간 단축을 통한 인건비 절약에서 이익을 취할 수밖에 없고 이는 부실시공으로 나타나게 된다.

지금은 입찰 경쟁이 공정하고 선진화된 시스템으로 바뀌어 이런 ‘담합의 현장’은 사라진 것으로 알고 있다.

하지만 잘못된 ‘하도급 관행’이 사라지지 않는 한 부실시공으로 인하여 사회 기반 시설에 ‘잠재되어 있는 위험’이 언제든지 우리의 안전을 위협할 수 있다는 공감대가 형성되었으면 좋겠다.

제4화 사랑에 대하여

∬ 사랑에 대하여(1) ∬

사랑은 인간만이 가진 최고의 특성인 줄로 알았다.

짝짓기 철마다 상대를 바꾸지 않으면서 죽은 배우자를 그리워하는 행동을 하는 동물들을 다큐멘터리에서 보기 전까진.

물론 사랑의 바탕은 성욕(종족 보존 본능)이다.

인간은 이러한 성욕에 자기희생을 더해 사랑을 최상의 가치로 끌어올렸다. 육체적 쾌락이 중심이 되는 남녀간 사랑에서도 순간의 달콤함보다 이별의 상처와 아쉬움으로 가득 찬 기억들이 오랜 시간 내 마음을 사로잡았던 적이 있었다. 이는 사랑이 승화하는 과정에서 오는 자연스러움이라 생각한다.

문제는 이런 '이별의 상처'들이 거듭될수록 사랑의 깊이가 얕아지고 민감도가 떨어진다는 것이다. 인간은 누구나 이별에 따른 고통에서 되도록 빨리 벗어나려 하고, 그 사랑의 의미를 축소 시켜 현실 세계에 복귀하고자 하는 나름의 방어기제가 작동하기 때문이다.

김소월의 시 '진달래꽃'은 첫사랑의 순수함과 이별의 아픔에 전율하던 그때 그 시절로 나를 되돌아가게 해준다.

두 사람이 맺은 사랑의 결실 '진달래꽃'.

떠나는 임을 붙잡고 싶지만 두 사람이 맺은 사랑보다 더 강렬한 무언가에 이끌려 떠나려 하는 상대의 마음을 붙잡을 수 없음을 남겨진 임은 알고 있다. 현재 할 수 있는 일이란 '과거의 추억'으로 자리를 옮긴 '나의 사랑'마저 떠나보내는 것. 남겨진 임이 선택한 방법은 떠나가는 님의 가시는 길에 '진달래꽃'을 뿌리는 일 이었다. 떠나는 임이 길에 뿌려진 그 꽃을 외면하지도 짓이기지도 말고 '사뿐히 즈려밟고 가시옵기'를 바라는 마음으로.

임을 붙잡고 싶은 다른 한편의 미련을 끝내 떨쳐내지 못하면서도 떠나가는 연인을 애써 무심한 척 보내려 하는 남겨진 님의 애절한 심정이 먹먹해진 내 가슴에 생생한 아픔으로 전해져 온다. 이런 시적 상상을 하면서 이 이별은 아름다운 마무리였다 느낀다. 본능적인 사랑에만 충실했다면 울고불고하면서 매달리거나, 상대방 사랑의 가벼움을 힐책할 수도 있으련만.

"나 보기가 역겨워 가실 때에는 말없이 고이 보내 드리오리다. 그리고 죽어도 아니 눈물 흘리오리다"라고 다짐하며 자신을 추스르는 남겨진 님의 모습에서 강한 생명력을 느낀다.

새로운 사랑이 두렵고 첫사랑의 정열이 아쉬운 지금의 나에게 심금을 울리는 사랑 노래 중 최고의 노래. 김소월의 '진달래꽃'이다.

∬ 사랑에 대하여(2) ∬

사랑에도 유효기간이 있을까?

신이 아닌 유한한 수명을 가진 인간의 사랑은 기본적으로 유한할 수밖에 없다.

그런데도 사람들은 왜 자신의 사랑만큼은 영원하길 꿈꾸는 걸까?

흔히 청춘 남녀 간 사랑의 불꽃 지속 기간은 2년, 길어야 3년이라고들 한다. 나 역시 이 주장에 동의한다. 사랑이란 비이성적인 두뇌활동의 결과물이고, 지속하기 위해선 엄청난 에너지가 계속 공급되어야 하기 때문이란다.

재난영화인 줄 알고 보았던 영화 '타이타닉'은 실은 아름다운 사랑 영화였다.

도박으로 호화여객선 타이타닉호 미국행 승차권을 얻은 화가 '잭'은 돈에 팔려 가는 자신의 운명을 자살로 벗어나려 시도하는 '로즈'를 우연히 구하게 된다. 이후 두 사람은 해 질 무렵 뱃머리에서 하늘을 나는 듯한 자유를 만끽하며 풋풋한 사랑을 시작한다. 신분 차이에서 오는 차별과 멸시가 오히려 두 사람의 사랑을 영글게 하고, 육체적 사랑을 통해 두 사람은 영원한 사랑을 약속하며 잭은 로즈의 아름다운 나체를 그림에 담는다. 하지만 예기치 못한 재난으로 두 사람이 맹세한 사랑의 약속은 물거품이 될 위기에 처한다.

죽음을 목전에 두고도 자신의 생존보다 사랑하는 연인과 일분일초라도 더 함께하고 싶다는 일념 하나로 생존이 보장된 구명보트에서 뛰어내려 침몰하는 배 안의 잭에게 달려가는 로즈의 행동에서 '불가사의한 사랑의 속성'을 본다.

압권은 사랑하는 로즈를 살리고 마지막 순간을 함께 하고픈 욕망의 끈을 붙잡은 채로 차가운 바닷물 속에서 죽어간 잭과, 어두운 심연 속으로 잭을 떠나보내고 살아남아 노인이 된 로즈가 수십년 전 슬픈 사랑을 아름답게 승화시켜 회상하는 마지막 장면이다. 이때 흘러나오는 셀린 디온의 'My Heart Will Go on'이 애절함을 고조시키며 내 기억에 영원히 남는 명장면이 되었다.

그날 이후. 지난 시절 아름답게 타올랐다 사라져 버린 내 사랑의 기억들이 가슴을 먹먹하게 파고들 때면, 무겁고 어두운 심연 속으로 빨려 들어가는 나 자신을 구하고자 상체를 벌떡 일으켜 가쁜 숨을 몰아쉬는 상황을 여러 번 마주하게 되었다.

되짚어 보면 그 둘이 사랑한 시간이 '타이타닉'에서 함께 한 며칠에 불과했기에 카메룬 감독은 재난이란 비정상적 상황을 배경 삼아 '순간에서 영원으로' 비행하는 찬란한 사랑을 만들어 내지 않았을까? 사랑이 폭발하는 순간에 맞이한 이별이었기에 이들의 사랑은 별이 되어 영원으로 남지 않았을까?

많은 시간을 함께 보내면서 식어 가는 사랑의 체온을 느껴야 하는 일반적인 사랑보다, 짧은 순간 일지라도 연인의 가슴 속에 뜨겁게 살아있어 아름다움과 감동을 주는 사랑. 이러한 사랑을 '영원한 사랑'이라 감히 말할 수 있으리라.

사랑하는 사람으로 인해 까만 밤을 하얗게 불태우는 날이 있다면 분명 당신은 '아름다운 사랑'이라 자부할 수 있는 '영원한 사랑'을 하는 것이다.

나중에 그 사랑이 서로에게 안타까운 상처로 남을지라도 '사랑이란 용광로'에서 진정성만이 뜨겁게 합쳐지던 그 순간은 시간의 길이만으로 따질 수 없을 테니까.

제5화 유대교 기독교 이슬람교

【 중동지역에서 기원한 [유대교], [기독교], [이슬람교]는
같은 뿌리를 가지고 있으며 힌두교(파생되어 나온 불교 포함)
와 종교로서의 유교, 도교를 포함하면 현재 지구상에 존재하는
신앙 대부분을 이들 종교가 차지한다고 말할 수 있다.
따라서 세 종교의 기원과 발전 과정을 고찰 해 봄으로서
종교에 대한 올바른 이해와 태도를 견지할 수 있으리라
생각한다. 덧붙여 이글은 나의 사견임을 밝힌다. 】

1. 종교의 기원

원인류에서 '호모 사피엔스'로 진화한 현생인류는 자연스럽게 생존에 유리한 무리생활을 혈연에 기반하여 영위했을 것으로 추정된다. 수렵과 채집에 의존했던 원시인류는 아버지는 알 수 없지만 어머니는 확실한 모계 중심의 집단을 형성하여 굶주림을 모면코자 이곳저곳을 떠돌아다녔다.

일만 이천 년 전 '빙하기'가 끝나면서 온화한 기후 덕분에 가축화에 성공한 몇몇 동물을 기르는 방목 형태의 목축업과 이동식 농업이 발달하게 되었고, 자연스레 강한 힘을 지닌 남성이 무리의 주도권을 차지하게 되었다. 특히 타 집단과의 무력 분쟁이나 약탈이 빈번한 지역일수록 남성 권력이 강화되는 경향이 농후해졌다.

시간이 지나 씨족사회 구성원이 늘면서 인구 분화가 진행되었고 씨족사회는 타 씨족사회와 교류, 협력하거나 힘에 의한 정복을 통해 부족사회로 확대되어 갔다. 이 과정에서 남성 권력의 근간이라 할 소유권(사유재산권)이 확산하며 발전하게 된다. 씨족 공동체 사회 초기 '혼속(합동결혼)' 결혼 행태가 차츰 타 씨족에 대한 '약탈혼'이나 우호적 교류 형태의 '족외혼속'으로 발전하면서 무리의 주도권을 쥔 어른 남자(추장)를 중심으로 하는 공동체 사회는 세분화와 경계구분 과정을 거치게 된다.

힘을 가진 성인 남성들이 주도하는 '근친상간 기피 심리'가 확산하면서 부족 고유의 '토템'이 씨족사회와 족외혼의 범위를 경계 짓는 기준으로 떠오르게 되었는데, 이는 생활양식 전반에 깊숙이 자리 잡고 있던 '터부'가 사람과 동물 그리고 영험한 사물에 대한 초기 '토테미즘' 형태로 발전된 것이었다. (단군신화는 고조선의 주도권 쟁탈전에서 '곰' 토템 부족이 '호랑이' 토템 부족에게 승리하였음을 보여준다)

여기서 '터부'란 범접하기 어렵다는 의미로 금제와 제한을 의미한다. 이는 신의 계율에 바탕을 둔 금제라기보다는 자기 기준에 따라 스스로 가한 금제이다. 일부 학자는 터부를 '가장 오래된 불문법전'으로 신들의 존재나 어떤 종교의 존재보다 선행하는 것으로 받아들인다.

또한 터부는 '악마적 권능에 대한 원시인들의 믿음의 표현이자 그 파생물' 즉 '두려움이 객관화된 것'이라 할 수 있다. 이 두려움은 두 개로 갈라져 '숭배와 기피'로 나타나게 된다. '그리스 로마 신화'를 비롯한 각 나라의 건국 신화에 나타나는 일반적인 법칙이 '숭배와 기피'라 할 것이다.

가부장제 성립과 동시에 싹트게 된 사유재산권(私有財産權). '원시 공동체 사회'라는 집단공생체계를 부수고 나와 씨족사회 근간을 바꾸어 버린 사적 소유의 개념. 이것의 밑바탕에 자리한 '소유욕'은 필연적으로 탐욕과 경쟁이란 괴물을 낳게 되었는데, 이는 '약육강식'의 형태로 개인과 집단을 가리지 않는 공통된 현상이었을 것이다.

이런 상황에서 '적, 추장, 죽은 자와 관련된 터부'로부터 생겨난 '죄의식'은 내부 질서를 다잡는 효과가 있었고, 자연력에 깃든 강력한 힘에 대한 겸손(숭배와 복종)을 가능케 했다.

여기에 정령(영혼)숭배가 핵심인 '애니미즘' 사상체계는 개개의 자연현상을 설명할 뿐만 아니라, 전체 세계를 하나의 관점에서 파악하는 것을 가능하게 해주었다. 또한 자연현상을 인간의 의지대로 통제하거나, 적이나 위험으로부터 자신을 지키고, 더 나아가 적에게 위해를 가할 수 있는 능력을 부여해 주는 '주술'이 애니미즘의 중요한 의례로 자리 잡았다.

이로써 '터부'와 '토테미즘' 그리고 '애니미즘'은 훗날 다신교 형태의 종교가 태동하는 밑바탕이 되었다.

종교란 혜성처럼 등장하는 것이 아니다.

역사적으로 종교의 발전 흐름을 고찰해 보면 '토테미즘'이야말로 인류사에서 최초로 드러나는 종교현상의 형식이며, 다양한 숭배 대상의 '인격신 화'를 통해 다신교로 그리고 전지전능한 유일신교로 발전해 왔음을 알 수 있다. 또한 역사 유적과 당시 상황을 재조명 해 봄으로서 종교가 '인류의 문화 발전' 및 '인류 사회 구조의 변화'와 맞물려 발전해 왔음을 알게 되고, 종교의 생생한 과거 모습을 다시 만날 수 있을 것이다.

2. 유대교

"유대교는 <유대인>의 종교다." 원래 <유대인(Jews)>이라는 용어는 '이스라엘 12지파의 자손'이라는 의미를 담고 있었다. 현재 <유대인>은 유대인으로 태어난 사람들과 유대교 개종자들을 포함하는 다민족 종교집단을 말한다.

유대교의 기본 율법서는 《토라(Torah)》다. 문자 그대로의 뜻은 '가르침' 또는 '법칙·율법'이다. 《토라》는 히브리 성서 또는 《구약성경》의 첫 다섯 편으로, 창세기·출애굽기·레위기·민수기·신명기를 말한다. 모세오경(Five Books of Moses)이라고도 불리는 《토라》는 모세 사후 수백년이 지난 후까지 하나님을 '야훼'라 칭하는 계열의 문서와 '엘로힘'이라 칭하는 문서가 공존하다가 기원전 539~기원전 333년 기간에 통합되어 완성된 것으로 보인다.

유대교 전통에 따르면 《토라》는 모세가 야훼로부터 직접 받앉거나 또는 영감을 받아 기록한 것이라고 한다. '십계명'을 비롯해 글로 쓰여진 토라에 담지 못한 내용이 <구전 율법> 즉 <구전 토라>의 형태로 《토라》에 더해져 전승되어 내려왔다.

현재 기독교인들의 《구약성경》은 《토라(모세오경)》에 유대인의 [전기예언서(여호수아,사사기,사무엘기,열왕기)]와 [후기예언서(이사야,예레미야,에스겔,12개소예언서)] 그리고 [성문서(시편,잠언,욥,아가,룻,예레미야애가,전도서,에스더,다니엘,에스라,역대기)]를 더하여 구성된 것이다.

유대교는 '모세'로부터 시작되었다.

이집트에서 종살이하는 이스라엘인의 인구팽창을 막기 위해 파라오가 갓 태어난 이스라엘 남자아기를 모두 죽이라고 명령하자 모세의 어머니는 모세를 바구니에 담아 나일강에 흘려보낸다. 나일강에서 목욕하던 파라오의 딸이 떠내려오는 모세를 발견해 입양하여 모세는 이집트 왕실에서 자랐다. 장성한 모세는 이스라엘 노예를 때리던 이집트인을 죽인 뒤 홍해를 건너 미디안으로 도망쳤는데, 호렙산의 불타는 떨기나무 속에서 야훼의 천사와 야훼의 음성을 들었다. '야훼'는 모세에게 파라오에게 가서 이스라엘 자손을 노예에서 해방 시킬 것을 요구하라고 명령한다. 모세가 자신에게 말하는 재능이 없다고 말하자 야훼는 그의 형인 '아론'이 그의 대변자가 되는 것을 허락한다. 열 가지 재앙이 발생한 후에, 모세는 이스라엘 자손을 이

끌고 출애굽(이집트 탈출)하여 홍해를 건넜고, 이후 시내산에 근거지를 두고 있을 때 모세는 '십계명'을 받는다. 40년 동안 사막을 떠돌던 모세는 약속의 땅이 보이는 곳 느보산에서 120세의 나이로 죽었다. 이상이 유대인들의 《구약성경》에 나오는 모세의 이야기다.

'지그문트 프로이트'가 1938년 영국으로 망명 후 발표한 '역사 소설 인간 모세'라는 제목의 논문을 인용해 다른 관점에서 고찰한 '모세' 이야기를 여기에 소개하고자 한다.

기원전 1375년 한 젊은이가 아버지를 이어 전성기 이집트 제국의 파라오에 올랐다. 그는 제위 후 '아메노피스 6세'에서 '아케나텐'으로 자신의 이름을 바꾸고 태양신(빛을 통하여 그 힘을 드러내는 신적인 존재)만 숭배하는 세계 최초의 엄격한 유일신교 '아텐교'를 백성 모두가 믿도록 강제하였다. 이뿐만 아니라 오랜 세월 이집트의 주신이었던 '아문'신에게 봉헌된 도시 테베를 버리고 강 남쪽에 새 왕성을 세워 역시 '아케나텐'(아텐의 지평선)이라 불렀다.

'아케나텐'의 등장으로 주변 종교에 불과했던 '아텐교'가 이집트의 중심에 자리 잡게 되면서 배타적이고 엄격한 이 신흥종교의 특성이 이집트왕국에 커다란 변화를 몰고 왔다. 이집트 중심에서 막강한 세력을 유지하던 '아문교'를 비롯한 모든 신전은 폐쇄되고, 신들에 대한 제사는 금지되었으며, 신전의 엄청난 재산은 국고로 환수되었다.

불운하게도 17년 후 국왕이 세상을 떠나자 '아케나텐'이 취한 일련의 조치들에 억압되어 있던 사제계급과, 엄격하고 배타적인 '아텐교'를 국왕의 명령으로 어쩔 수 없이 받아들여야 했던 일반 백성들은 광란적인 복수를 시작하였다. 왕성은 다시 테베로 옮겨졌고, '아텐교'가 폐기 되었으며, 아케나텐의 왕성은 파괴와 노략질의 손길을 벗어나지 못했다.

그러나 고귀한 신분으로 '아텐교'를 믿었던 '이집트인 모세'와 그를 추종한 이집트인들 그리고 이들과 함께 이집트를 탈출한 유대인들을 통해 이 새로운 신앙은 살아남았고, 논란의 기나긴 과정을 거친 후에 유대인들이 '아텐교'를 그들의 신앙으로 받아들임으로써 '유대교'라는 유일신교가 탄생하게 되었다는 것이 프로이트의 주장이다.

프로이트는 모세가 이집트인이란 첫 번째 근거를 유대인들이 신에게 선택받은 민족임을 증명하는 자신들 만의 풍습인 '할례'(포경수술)에서 찾는다. 이집트는 아득한 옛날부터 유대인을 포함한 주변의 어떤 민족도 갖지 않은 이집트인 고유의 할례풍속을 갖고 있었다. 모세 입장에서 그를 따라 홍해를 건너와 자신의 새롭고 고결한 백성이 된 유대인들에게 그들의 옛 주인 이었던 이집트인의 청결한 풍습을 따르도록 하는 것이 어찌 보면 당연한 일 이었을 것이다.

(기원전 450년경 이집트를 여행했던 헤로도토스는 이집트인의 특징에 대해 많은 것을 기록하고 있는데 이러한 특징은 뒷날 유대인들이 보여주는 특징과 놀라울 정도로 유사하다. 또한 구약성경 기록에 따르면 할례풍속이 하나님과 아브라함 사이 '계약의 징표'였다고 주장하지만, 이 주장과 모순되는 상황들을 《구약성경》에서 쉽게 찾을 수 있다.)

정착할 곳을 찾지 못하고 사막에서 방랑하던 유대인들이 이집트에서의 생활을 그리워하며 모세와 아론에게 불평하는 상황이 출애굽기 16장 3절에 기록된 것을 보면 이들이 선진화된 이집트의 풍습을 받아들이는 데 거부감이 있었을 것 같지 않다.

두 번째로 모세가 형 아론을 대변자로 삼은 것은 성경의 언급처럼 모세가 말이 어눌해서 일 수도 있으나, 셈족에 속하는 새 이집트인들(모세를 따라 탈출한 유대인들)과 의사소통을 할 수 없었기 때문이라고 추론해 볼 수도 있다.

모세를 따라 이집트를 탈출한 유대인들은 모세와 이별한 후 요단강 서부지역(가나안)에 살고 있던 셈족계 아브라함의 후손들과 합류하게 되었는데 이들은 '금송아지' 형상을 만들어 숭배하는 다른 종교를 믿고 있었다. 두 세력은 상당한 기간의 진통을 거쳐 단호하고 배타적인 '모세의 야훼 종교'를 유대인의 종교로 받아들이게 된다.

그리고 '하나님에게 선택받은 유일한 민족'이란 자부심과 단결된 힘을 바탕으로 주변의 왕국들을 오랜 기간에 걸친 파상공격방식으로 정복해 나갔다. (공교롭게도 오늘날 이스라엘 모습과 매우 흡사하다) 마침내 지금의 팔레스타인으로 알려진 블레셋인들의 거주지까지 차지하였고, 기원전 1047년 사울을 왕으로 하는 '이스라엘 왕국'을 건설하였다. 그리고 백여년이 흐른 후 '이스라엘 왕국'과 '유다왕국'으로 분열되었다.

이렇게 유대인의 역사는 이중성과 밀접한 관계가 있다. 하나로 합류하여 나라를 세우는 것도 <두> 무리의 백성들이고, 나중에 나라가 분열될 때도 <두> 나라로 분열했으며, 성서 원전에 나타나는 신의 이름도 '야훼'와 '엘로힘' <두> 가지다.

두 줄기의 유대 교리도 이러한 이중성의 과정을 거쳐 결국 '모세 교리'가 영구적인 교리로 정착된 것이다. 이는 '유대인의 3대 명절'만 고찰해 보아도 알 수 있다. 가장 큰 명절은 '유월절'로 모든 장자를 죽이는 모세의 열 번째 재앙이 이집트를 덮쳤을 때 문설주와 안방에 어린양의 피를 바른 유대인의 집은 천사가 그냥 지나갔다는 데서 유래했다. 유월절 다음날부터 50일째 되는 날 '오순절'과, 이집트를 탈출한 선조들이 40년 동안 장막에서 방랑하며 살아가던 유목 생활을 기념하기 위해 가을에 열리는 축제 '초막절'이 있다.

기원전 597년 '유다왕국'이 멸망하면서 유대인들은 바빌론으로 끌려가 '바빌론 유수'라 불리는 60년간 유배 생활을 하게 되었다. 바빌론 유수기 동안 유대인은 고난과 고통으로 민족 일치를 강화했고, 경전을 정리하여 《구약성경》의 기초를 만들었다. 그리고 유수에서 풀려난 이후 강경파 유대인들을 중심으로 예루살렘에 귀환하여 성전을 재건하고 유대교를 재정립하였다.

유대인들은 바빌론에서 세계최강 페르시아 제국의 화려하고 선진화된 문화를 체험하였다. 페르시아 종교였던 '조로아스터교'의 영향으로 '야훼'를 절대적인 신으로 설정하였고, '신이 인간을 심판한다.(노아의 방주, 소돔과 고모라, 최후의 심판)'는 개념으로 인간사에 윤리성을 도입하였다. 이렇게 유대인들은 현세 지향적이었던 유대교 교리를 '선과 악의 대결' 및 '심판론'과 연결 함으로써 유대교를 차원 높은 고등종교로 진화시킬 수 있었다.

3. 기독교

여기서 [기독교]란 <로마 카톨릭>, <동방 정교회>, <영국 성공회> 그리고 종교개혁을 통해 '로마 카톨릭'에서 분리되어 나온 <개신교 여러 교파>를 아우르는 말이다.

[기독교]의 성경은 유대교 율법서인 《구약성경》에 《신약성경》을 더해 구성돼 있다.

《신약성경》 27문서 가운데 예수(B.C4 ~ A.D33)의 말씀과 행적을 기록한 4복음서(마태,마가,누가,요한)를 제외한 23개 문서 중 13개의 문서를 집필한 사도 바울(본명 사울. A.D 5년 튀르키에 타르수스에서 출생. A.D 64년 로마에서 순교) 을 주목할 필요가 있다. 당시 이스라엘 온건 바리새파 수장의 수제자급 인물로 철저한 종교 엘리트이자 로마인이었던 그는 생전에 예수를 한 번도 만난 적이 없었고, 예수 믿는 유대인들을 앞장서서 박해하는 사람이었다. 사도행전에 따르면 그런 그가 박해 활동을 하기 위해 다마스쿠스로 가던 도중 "사울아, 사울아, 어찌하여 네가 나를 박해하느냐?"는 예수의 음성을 듣고 일시 실명한 이후 '회심'하였다고 한다. 바울의 신학 및 서신은 기독교의 교리와 역사에 미친 영향이 매우 커서 혹자는 "예수가 없었다면 바울도 없었겠지만, 바울이 없었다면 기독교도 없었을 것이다"라고 평하기도 한다.

회심 후 정통 유대교인들에 의해 죽음 직전까지 몰리는 상황을 여러 차례 겪고 결국 로마에서 베드로와 함께 순교한 사도 바울. 그는 4차례의 선교여행과 각 교회에 보내는 편지를 통하여 지중해 각 지역의 유대인과 타민족들에게 성공적인 선교를 이루어 냈다. 유대교 관점에서 선지자의 한 사람에 불과한 '나사렛 예수'를 하나님의 유일한 아들이며 인류가 짊어진

'원죄'를 자신의 십자가 죽음과 맞바꾸어 인류를 구원한 메시아(구세주)로 섬기는 [초기 그리스도교] 교리를 그가 탄생시킨 것이다.

[초기 그리스도교] 주된 선교활동은 예루살렘 교회의 지도자 야고보와 예수의 직계 제자들인 십이사도에 의해 주로 예루살렘에서 유대인을 대상으로 이루어졌다. 그러던 중 A.D 70년 예루살렘의 유대인들은 로마 지배에 반기를 들었는데, 결국 로마군에 의해 유대교 신앙의 중심인 성전은 철저하게 파괴되었고 모든 유대인은 예루살렘을 떠나야 했다. 바빌론 유수에 이은 '2차 디아스포라'가 발생한 것이다. 이 일로 인해 [유대교]와 [초기 그리스도교]가 세계로 퍼져 나가는 계기가 되었고, 바울이 초석을 다진 로마 등 지중해 지역에 산재해 있던 유대인 중심의 [초기 그리스도교] 교회의 문이 유대인 이외 사람들에게도 열리게 되었다. 교회의 반석으로 인정받는 베드로가 바울의 주장을 받아들여 '이민족에게 유대인 문화를 강요하지 않는다'라고 하는 '교회 방침'을 정함으로써 초기 그리스도교회의 문은 이미 유대인을 넘어 세계로 열려 있었다.

[유대교]와 [초기 그리스도교]의 중요한 교리 차이는 율법(구약성경)의 해석과 실천, 그리고 예수를 어떻게 받아들이느냐에 달려 있었다.

바울은 "남을 사랑하는 사람은 이미 율법을 모두 행하였다" 라고 말하며 유대교 율법이 가진 진정한 의미는 '하나님을 향한 믿음과 헌신, 그리고 이웃을 향한 사랑'이므로 '유대교 율법대로 살아가야 한다고 강요하는 것'은 잘못되었다고 주장하였다. 따라서 외면에 관계된 율법 행위의 시행(할례, 안식일과 정결규정) 등은 중요한 것이 아니라 역설했다.

또한 구전신화가 아니라 《신약성경》 속에 기록된 인간의 삶을 살다 간 창시자 예수의 도덕적 가르침(사랑, 평등)은 보편적 호소력을 지니고 있었다. 그리고 속죄와 부활, 영생의 그리스도교 교리는 단순한 인간의 삶에 물질세계를 넘어서는 진정한 의미와 목적을 부여했다. 이러한 믿음을 바탕으로 [초기 그리스도교]는 일종의 급진주의적 공동체 역할을 하면서 도시 빈민들 사이에서 급속히 세를 불려 나갔다.

로마제국의 동부지역에서 서쪽을 향해 퍼져나가던 [초기 그리스도교]는 3세기 들어 그리스어 《신약성경》이 라틴어로 번역되면서 더욱 탄력을 받게 된다. 이런 와중에 [유대교] 교인들은 초기 그리스도교를 선지자에 불과한 '예수'를 신으로 떠받드는 이단 종파로 보아 박해를 가했고, [초기 그리스도교]는 유대교를 예수가 전한 새로운 복음(신약)으로 인해 수명이 다한 종교로 여기면서 두 종교는 더욱 뚜렷이 갈라지게 되었다.

서로마제국 콘스탄티누스(306-337) 황제와 동로마제국 리키니우스(308-324) 황제가 함께 발표한 '밀라노 칙령'으로 당시 로마 시민의 10%가 믿던 기독교가 합법화되고 이후 모든 황제가 기독교로 개종하였으며, A.D 392년엔 기독교가 로마제국의 공식 종교(국교)가 되었다. 이제 로마 황제는 정당한 통치권의 상징인 왕관과 홀을 하나님의 대리인인 대주교를 통해 하사받게 되었다. 이러한 대관식을 통해 기독교도인 귀족과 백성들로부터 황제에 대한 충성을 끌어낼 수 있었다.

이런 일련의 과정을 통해 교회와 성직자(수사,신부,주교,대주교,총대주교)에게 세속의 많은 권력과 이권이 주어졌으며 더 나아가 교회는 국가와 손잡고 이교도 박해에 나섰다. 이를 계기로 '기독교의 세속화'와 '국가와 교회 간 권력다툼'이 시작되었고, 다툼의 핵심은 성직자 임명권(서임권)에 있었다. 이 다툼은 1077년 1월 신성로마제국 황제가 교황을 찾아가 맨발에 고회복을 입고 3일간 금식하며 성문 앞에서 사죄하는 '카노사의 굴욕' 사건으로 정점을 찍었다.

4세기를 지나면서 로마, 콘스탄티노폴리스, 알렉산드리아, 안티오키아, 예루살렘 다섯 대교구는 다른 대교구보다 우월성을 인정받았으며 '총대주교'라는 칭호를 받았다. 특히 '로마 총대주교'에게는 교황(pope)이라는 칭호가 주어졌다.

325년 콘스탄티누스 황제가 주재한 '니케아 공의회'를 통해

‘성부’,‘성자’,‘성신’의 세 신위가 동일체라는 <삼위일체론>을 공식 채택 함으로써 예수의 신격을 부정한 ‘아리우스파’를 이단으로 규정하였다. 이는 이후 거듭되는 이단 논쟁의 출발점이 되었으며 기독교는 이단 논쟁을 통하여 더욱 보수화, 교조화 되어갔다.

생활로서 신앙의 본을 보이고 저술로서 기독교 교리를 정립하는 데 크게 이바지한 사람들을 ‘교부’라 부르는데, 이들은 신플라톤주의와 스토아철학의 ‘이성’을 ‘기독교 신앙’과 접목하여 기독교 교리에 철학과 논리성을 부여하였다.

대표적인 교부철학자로 ‘성 아우구스티누스’를 꼽을 수 있다. 그는 ‘신국론’에서 인류 역사에 나타나는 재앙(惡)은 '썩은 것'을 잘라내고, 꼭 필요한 것은 지상에 남겨놓으려는 하나님의 의지에서 비롯된다는 ‘기독교역사관’을 제시하였다.(하나님이 세상의 혼란과 죄악을 왜 방치하는가? 라는 의문에 대한 해답으로 지금도 활용된다)

기독교가 유럽인들 삶에 중심이 되자 교회는 유산상속과 기부를 통해 방대한 토지와 부를 취득하게 되었으며, 이를 노리고 귀족 가문의 차남 이하가 성직을 차지하는 일이 다반사가 되었다. 따라서 고위성직자 대부분이 일반 세속귀족과 별반 다름없는 방탕하고 폭력적인 삶을 살았다. (당시 ‘교황의 사생아’는 공공연한 비밀이었다)

성직자의 도덕적 수준이 급격히 떨어지던 5~6세기, 수도사들의 경건한 품행이 일반신자들의 지지를 받게 되면서 '수도원'은 교회조직 내에서 별도의 성직자 조직으로 확립되었다. 대표적인 수도원이 "육체노동이 건전한 균형을 제공한다"하는 슬로건을 제창한 '베네딕투스 수도원'인데 이들은 병원이나 구호소를 운영하고, 선교사로 활동하였으며, 고대 저술을 보전, 필사하는 등 서양 중세 문명발달에 커다란 공헌을 했다.

게르만족에 의해 '서로마제국'이 멸망한 뒤에도 <로마교회(카톨릭)>는 프랑크 왕국을 기점으로 여러 게르만족들을 개종시키며 서부 유럽 국가와는 별도로 막강한 힘을 가진 독립적 기구로 발전해 나갔지만, '동로마제국' 내 <비잔티움교회(동방정교회)>는 '동로마제국'에 속한 하나의 기구로서 존재했다. 하지만 그리스어 문화권을 중심으로 한 <비잔티움교회> 역시 러시아를 포함한 슬라브족과 불가리족 등 동유럽에 거주하는 이민족들을 개종시키는 성과를 거두었다.

726년 동로마제국 황제 레온3세가 <로마교회>와 <비잔티움교회>에 내린 성상 파괴 명령에 <로마교회>가 반발하면서 두 교회가 갈라서게 되는 결정적 계기가 되었고, 1054년 로마교황 사절단이 비잔티움에서 총대주교를 파문하자 총대주교는 파문장을 불태우고 거꾸로 사절단을 파문 함으로써 양 교회(로마 카톨릭, 동방 정교회)는 공식적으로 결별하게 되었다.

프랑스 출신 대주교가 연속으로 '교황'에 선출되면서 새로 형성된 '아비뇽 교황' 지지 세력과 기존 '로마교황' 지지 세력 간 대립으로 <카톨릭교회>의 내부균열이 시작된 가운데, '존 위클리프'와 '얀 후스' 같은 교회를 개혁하고자 하는 사상가들이 출현하였고, 이들의 사상은 14~15세기 독일과 저지방을 중심으로 '신비주의'와 '경건주의'가 확산하는 계기가 되었으며 [종교개혁운동]의 불씨가 되었다.

1517년 10월 말일 신부 '마르틴 루터'가 95개 조항에 달하는 명제를 발표하면서 시작된 <카톨릭교회>에 대한 [종교개혁운동]은 '장 칼뱅'으로 이어져 [루터교]와 [칼뱅교], 초기 그리스도교 관행과 정신으로 돌아가자는 [재세례교] 등 <개신교>를 탄생시켰다.

합리적 사고관을 지닌 북유럽을 중심으로 '성서가 권위의 유일한 원천이며, 구원은 인간의 행위와 관계없이 오로지 신의 은총만으로 이뤄진다'라는 <개신교> 논리가 확립되었다. 이는 각국 언어로 보급된 성경과 장로를 중심으로 신도들이 함께 모여 수평적 예배를 보는 원칙적이고 실용적인 종교관이 있기에 가능했다. 이로써 새로 생겨난 <개신교> 교회들이 오랜 세월 지속된 수직적 사제체계 속에서 부패와 타락으로 얼룩진 <로마 카톨릭>을 대체하게 된 것이다.

영국 또한 국왕 헨리 8세의 이혼을 계기로 발발한 <카톨릭 교회>와 갈등 속에서 '영국교회를 영국 국왕의 아래에 둔다'라는 '수장법'을 통과시키면서 <로마 카톨릭>으로부터 독립하였다. 그리고 청교도와 절충을 통해 <성공회>라는 카톨릭에 기반한 영국만의 종교를 만들어 냈다.

영국의 개신교도를 '청교도'라 하는데 1642년부터 수년간 크롬웰을 중심으로 기세를 올렸고 1688년 명예혁명을 일으켜 입헌군주제를 수립하기도 하였으나, 추후 신대륙으로 대거 이주해 [미국 개신교]의 뿌리가 되었다.

<개신교>의 등장으로 <로마 카톨릭> 세계가 두 개로 쪼개지면서 개신교의 확산을 막기 위한 <로마 카톨릭>의 대응개혁은 에스파냐와 이탈리아를 중심으로 하는 '자체 내부 개혁'과 다른 한편으로 개신교에 대한 완강한 저항과 공격으로 나타났다.

인류가 '이데올로기'와 '탐욕'에 얼마나 취약한지를 적나라하게 보여주는 [종교전쟁]이 시작된 것이다.

<로마 카톨릭>과 <개신교> 사이에 벌어진 대표적인 [종교전쟁]을 예로 들자면 '독일의 30년 전쟁(1618~1648)', '네덜란드 독립전쟁(1568~1648)', '프랑스 위그노전쟁(1562~1598)'을 꼽을 수 있다. 특히 '독일의 30년 전쟁'은 인류 전쟁사에서 가장 잔혹하고 사망자가 많은 전쟁 중 하나였으며, 800만에 달하는

희생자와 독일 전역을 피폐하게 만드는 처참한 결과를 낳았다.

4. 이슬람교

이슬람교의 창시자인 무함마드(마호메트)의 생애와 이슬람교의 태동 과정은 다음과 같다. <위키백과 참조>

무함마드는 한때 '메카'를 지배했던 유복한 상인 집안인 쿠라이시족 하심가에서 A.D 570에 태어났다. 그가 태어나기 전 집안은 몰락한 상황이었고, 출생 직전에 아버지마저 세상을 떠났다. 6살이 되던 해 어머니가 '메디나'를 방문하고 돌아오는 도중 병에 걸려 죽게 되자 무함마드는 하녀의 손을 잡고 메카로 돌아와 할아버지에 의해 자라다가 할아버지가 죽자, 삼촌에 의해 키워지게 된다.

삼촌은 가난했고 딸린 식구들이 많아 무함마드는 어린 나이부터 삼촌의 무역 활동을 따라다니게 되었다. 12세에 무함마드는 삼촌을 따라 시리아로 갔다. 그곳에서 기독교인 수도사를 만나게 되었는데 그는 무함마드에게 예언자의 징표가 있다고 말하였다 한다. 그 후 무함마드는 목동 일을 하며 성장한다.

목동이었던 무함마드는 가난했던 삼촌을 생각하여 수익성이 좋은 직업을 구했고, 삼촌의 소개로 부자이자 과부였던 '카디자'의 고용인으로 들어가 그녀를 대신해 시리아 지방으로 대상

무역을 떠나게 된다. 이 무역은 큰 성공을 거두고 샴 지방의 특산품을 구해 메카로 돌아왔다. 카디자는 이에 깊은 감명을 받고 15살이나 어린 무함마드에게 청혼하였다. 무함마드가 25세, 카디자가 40세에 둘은 결혼하였다. 부자였던 카디자와의 결혼은 무함마드에게 부와 명예를 가져다주었고, 무함마드는 삼촌의 재정적 어려움을 덜어주기 위해 사촌 '알리'를 입양하였다.

당시 아라비아 각지에는 '유대교인'들과 아리우스파 등 '이단 기독교 신자'들이 거주하고 있었다. 셈족 언어를 사용하던 '사바인(솔로몬 시절 '시바의 여왕'으로 알려진 현재 예멘인)'들 역시 아라비아에 거주하였는데, 이들은 서로서로 종교적인 영향을 주고받았다. 신성한 달(라마단)이라 불리던 9월에 금식이 행하여지는 것도 '사바인'의 종교적 영향이다. 유대인들과 기독교 신자들의 영향으로 '유일신 사상'이 아라비아반도에 전해지긴 했으나, 대부분 아랍인은 여전히 다신교 신앙을 가지고 살고 있었다. 카바 신전에는 '360개 우상'이 존재했었다고 한다. 이슬람의 '알라'도 카바 신전에서 모시던 신 중 하나였다.

경제적인 부는 먹고 살 걱정을 하지 않아도 될 만한 여유를 주어, 무함마드는 금식하고 사색하며 진리를 찾기 시작했다. 사실 이러한 종교적 감수성은 유년 시절부터 타고난 것이었다.

무함마드가 어린이일 때에 그의 삼촌은 카바 신전의 관리인이었다. 카바 신전에서는 검은 돌을 숭배하였는데, 이를 본 무함마드는 '과연 검은 돌이 신인가?'라는 의문을 가졌다고 한다.

그러던 어느 날 무함마드는 2천 년 전 모세가 '호렙산'에서 야훼의 계시를 받은 것처럼 '히라산 동굴'에서 신의 계시를 받았다. 무함마드는 겁에 질려 집으로 돌아왔는데, 부인 카디자가 무함마드를 진정시키고, '이비아니교'의 사제이면서 자신의 사촌인 사람에게 가서 사정을 설명하였다. 그 사제는 무함마드와 마주한 것이 '천사 가브리엘'이었으며 무함마드가 예언자라고 말하였고, 카디자는 집으로 돌아와 무함마드에게 이런 사실을 말한 후 그의 앞에 무릎을 꿇고 최초의 '무슬림'이 되었다.

동굴에서 첫 계시를 받은 후 무함마드의 양자들과 노예 그리고 친한 친구들이 점차 무슬림으로 개종하였고, 3년째 되던 해 무함마드는 자신이 '알라의 사자'라는 정체성으로 친구와 친족을 모아놓고, 하늘의 계시를 전하는 전달자로서 유일신 알라의 전지전능함, 만물의 창조, 최후의 심판 및 천국과 지옥 등을 주장하는 설교를 한다.

그러나 친구와 친족들은 비난과 무시로 무함마드를 모욕했고, 메카 사람들로부터 치욕적인 비난을 받았다. 그러자 무함마드는 메카로 오는 순례객들을 상대로 '하나님은 한 분이라는 유일신 사상'을 전하기 시작했다.

삼촌과 아내가 죽은 A.D 622년 무함마드는 박해로 인해 그를 따르는 사람들과 '메카'를 떠나 '메디나'로 갔는데, 이것을 '헤지라'(성천)라 한다. '메디나'는 무함마드의 종교집단을 받아들이기로 무함마드와 사전에 협정을 맺었다. 무함마드는 메카의 북쪽 약 400km 지점에 있는 메디나가 아랍계와 유대계의 갈등상태에 놓여있음을 알고 이들이 공통으로 받아들일 수 있는 유일신 신앙인 '이슬람교'를 대안으로 제시하였다. '메디나' 입장에서는 메카와 달리 다신교를 기초로 하는 종교적 기득권이 없었기 때문에 '이슬람교'를 그들의 정치적·사회적 필요를 충족 시켜주는 종교로 수용할 수 있었다.

'헤지라'를 계기로 하여 이슬람교는 메카 시절의 사적 신앙 단계를 벗어나 하나의 교단을 형성하는 단계로 발전하게 된다. 이러한 의미로 '헤지라'는 이슬람교의 역사적 전환점으로 이슬람교 초기의 교도들에게 인식되어 뒤에 이슬람교 기원(紀元)이 되었다.

'제정일치의 사회'를 무함마드는 추구했다. 선지자의 권위를 확립하고 아라비아 부족의 통일을 이루기 위해 종교적인 일과 세속적인 일을 구별하지 않는 형태의 '이슬람 조직체계'가 필요하다고 무함마드는 판단했다. 이슬람의 종교법, 사회적·경제적 여러 규정을 정함과 동시에 해마다 메디나를 공격해 오는 메카 군을 624년 메디나 남서에서 격파함으로써 무슬림의 사기는 크게 높아졌다.

630년 무함마드는 무력을 뒷받침한 외교협상으로 고향인 메카에 무혈입성하여 카바 신전의 우상을 모두 파괴하였다. 이때 그는 "진리는 왔고, 거짓은 멸망하였다"라는 말을 남겼다.

이슬람 신앙을 포교하는 데에 있어 '나라의 힘이 강해야 한다'라고 생각한 무함마드는 정복 전쟁을 계속해 아라비아반도 대부분을 통일하였다. 632년 열병으로 메디나의 자택에서 사망하였고 그의 유해는 검소하게 장례를 치른 후 메디나에 있는 '예언자의 모스크'에 매장되었다.

무함마드 사후 후계자인 '칼리파'(이슬람 국가의 지도자·최고 종교 권위자의 칭호)들에 의해 정복 전쟁은 계속 이어졌다. 무함마드 사후 불과 12년이 지나지 않아 이슬람의 영토는 아라비아반도에서 서북쪽으로 이스라엘, 시리아, 요르단 그리고 이집트와 리비아, 동쪽으로 이란, 이라크를 지나 인더스강까지 도달해 있었다. 이슬람은 세율이 낮은 조세를 거두고, 평등한 참정권을 보장함으로써 평화적인 방법으로써 피정복민들을 복속하게 했다.

'수니파'는 전 세계 무슬림의 75~80%를 차지하는 이슬람교의 가장 큰 분파이다. 수니파 다음가는 규모의 이슬람교 분파는 '시아파'다. 이 둘의 차이는 무함마드의 계승에 대한 의견 차이에서 비롯되었지만 이후 신학과 법률에 더해 광범위한 정치적 차이로 인해 서로에 대한 적대감이 깊어졌다. '수니파'는 "무함마드가 후계자를 지정하지 않았으며, 다만 '아부 바크르'를 후계자로 지목했다"하고 주장하는 반면, '시아파'는 "무함마드의 사촌 동생이자 사위인 '알리 이븐 아비 탈리브'를 후계자로 세웠다"라고 본다. 그런데 첫째 칼리파 '아부 바크르'와 두 번째 '우마르', 세 번째 '우스만'을 거쳐 네 번째 칼리파에 오른 '알리'가 이라크에서 쿠데타 세력에게 암살당하자, 알리의 추종자들(시아파)은 무함마드의 혈족인 '알리'만이 칼리파 자격이 있다면서 이후 새로운 칼리파들에게 저항했다.

이슬람의 기본 경전인 《쿠란(코란)》은 무함마드가 610년 이후 23년간 알라에게 받은 메시지를 구전으로 전하다가, 그의 가르침을 받은 제자들이 여러 장소에서 여러 시대를 걸쳐 기록한 기록물들을 모아서 집대성한 책이다.

《쿠란》은 '읽기'라는 뜻을 지닌다. 쿠란은 무함마드에게 계시되 제자들에게 가르쳐지면, 제자들이 그것을 낙타의 골편이나 야자의 엽피, 양피지 등에 기록하였으며, (무함마드가 죽자마자) 제1대 칼리파 아부 바크르는 쿠란을 한 권으로 집대성해 보관하였고, 제3대 칼리프 우스만은 최종적으로 쿠란의 집대성 작업을 완성했다.

《쿠란》은 고전 아랍어로 기록되어 있으며 아랍어 자체로써 쿠란을 해석할 때 그 의미에 비교적 정확히 접근할 수 있다고 본다. 따라서 무함마드가 속한 쿠라이시 부족의 언어로 그 기재 방법을 통일하였고, 정통본을 암송자인 하피즈와 함께 이슬람 각지로 파견하여 전파하도록 하였다.

원뜻을 훼손하고 왜곡할 수 있다는 우려로 인해 타 언어로 번역된 쿠란을 인정하지 않았으나 지금은 이슬람을 전파할 목적으로 여러 언어로 번역되어 있다.

하루 5번 예배 시 무슬림은 정확한 발음으로 쿠란을 암송하여야 하며 쿠란 전체를 암기하는 자를 하피즈(Hafiz)라고 한다. 각종 의식에서는 정규 독송자가 소리 높이 독송한다. 쿠란에서 사용되는 단어는 점 하나까지도 리듬과 운율로 연결되어 있다.

《하디스》는 무함마드가 말하고, 행동하고, 다른 사람의 행위를 묵인한 내용을 기록한 책이다. 하디스는 쿠란, 이즈마, 끼야쓰와 함께 '샤리아(이슬람법)'의 4대 원천을 이루며 쿠란 다음으로 중요한 자료이다. 무슬림은 알라의 말씀인 쿠란과 더불어 하디스에 기록된 무함마드의 언행에 따라 행동함을 삶의 기반으로 한다.

《하디스》에 '오직 알라만이 불로 심판할 수 있다'라는 내용이 있어 이슬람권에선 장례 때도 화장을 금지한다. 각 분파는 자기 파에 유리하도록 하디스를 만들어 냄으로써 하디스의 공급이 성행하게 되었는데 유대교·그리스도교에 기원을 둔 훈화, 그리스 철학에서 유래된 잠언(箴言)까지도 무함마드가 말한 것처럼 꾸미는 일이 생겨났다. 이에 대하여 순수한 하디스를 엄선하는 방법을 샤리아(율법) 형성기(이슬람력 2, 3세기)에 하디스 학자들이 만들어 내게 되었다.

[이슬람교]와 [기독교]는 같은 절대자를 숭배하며, 천국과 지옥으로 나타나는 사후세계를 믿는다는 점, 그리스도의 업적과 성경을 존중한다는 점 등 '많은 공통점'을 지니고 있다.

그러나 [이슬람교]의 경우 기독교와 같은 원죄의식(原罪意識)이 존재하지 않는다. 인간은 쓰여 지지 않은 책과 같아 그 자체로는 선하지도, 악하지도 않은 존재로 본다.

또한 기독교가 주장하는 예수의 '대속(代贖)' 개념도 부정하는데 개인이 저지른 죄는 자기 스스로가 신에게 회개함으로써 용서받을 수 있다고 생각하기 때문이다. 같은 맥락에서, 아담과 이브는 순간적인 유혹에 넘어가 타락했지만 결국 용서를 구하고 구원받았다고 주장한다. 즉, 아담과 이브의 죄로 인해 카인과 아벨 그리고 그 후손으로 끊임없이 이어지는 인간의 죄(원죄)는 조상으로부터 물려받은 것이 아닌 '그들의 잘못'이라는 것이다.

이슬람은 유대교와 마찬가지로 그리스도 예수를 위대한 예언자로 존중한다. 그러나 '예수'는 어디까지나 신이 선택한 여러 예언자 중 하나일 뿐, 결정적인 예언자는 '무함마드' 한 사람이라고 본다.

기독교의 《성경》 역시 신의 말씀이 일부 들어있다는 것에는 동의하나 그것은 세월을 거치면서 여러 성직자에 의해 왜곡되고 변형된 측면이 많다고 본다. 결국 이슬람교도들이 가치판단의 기준으로 여기는 것은 《쿠란》이며, 쿠란은 앞으로도 덧붙여지지 않을 완전한 형태의 성서이기에 절대적이라 여긴다.

5. 덧붙임

'종교'는 인류와 함께 발전해 왔으며, 인류가 오랜 세월 축적한 최고의 도덕철학이자 문학이며 예술이다.

[유대교]에 뿌리를 둔 [기독교]. 유대교와 기독교에 뿌리를 두었으며 교리상 유대교에 훨씬 가까운 [이슬람교]. 이들 종교가 현재 지구상에서 벌이고 있는 갈등과 전쟁을 보면서 '도대체 인류에게 종교가 무슨 의미란 말인가?' 하는 의문이 든다.

종교는 믿음이란 도구를 통해 '고통스러운 현재의 삶'을 '내세의 행복한 삶'으로 교환시켜 주는 환상적인 시스템이다. 이러한 영혼 불멸의 믿음은 사랑보다도 강력하며, 죽음(순교)도 두렵지 않은 초인적인 힘으로 분출되기도 한다.

올바른 종교관 정립이 무엇보다 중요한 이유이다.

이를 위해 '종교의 태동과 발전 과정'에 대한 이해가 우선되어야 하며, '나와 종교와의 관계 정립' 및 '종교가 내 삶에서 갖는 의미'에 대하여 지속적인 회의가 필요하다고 생각한다.

분명한 사실은 당신이 <종교에 예속된 삶>을 살아간다면 사는 동안 '인간 존엄성'이란 최우선 도덕 기준이 왜곡되고, '인간다운 삶을 살아갈 소중한 시간'마저 빼앗기고 만다는 것을 유념해야 할 것이다.

제6화 마음의 문

*** 마음의 문 ***

작년 이맘때쯤이었을 겁니다. 제가 운영하고 있던 ***매점으로 히말라야 등반대 차림의 등산객 한 분이 들어오셨는데 배낭을 가게에 잠시 맡기고 등산을 다녀오겠다고 하더군요. 몇 시간 후 배낭을 찾기 위해 다시 들른 이 등산객은 제가 읽고 있던 책에 대해 몇 가지 자신의 느낌을 얘기했고, 이분과 대화를 나누면서 외모와 다르게 감성적이고 열린 마음을 갖고 있다는 느낌을 받았습니다.

이후 등산 때마다 매점에 들러 배낭을 맡기는 이분과 친해졌고 본인이 자신 있어 하는 요리 중 하나인 '옻닭 만찬'에 저를 초대해 주셨습니다. 방문한 그분의 집에서 사모님과 다른 초대 손님들을 만나게 되었고, 다양한 사람들과 폭넓게 교제하는 그분이 참 멋있어 보였습니다.

그러던 어느 날 자신이 ****교회에 다니는데 교회에 다닐 의향이 없냐고 묻더군요. 전 무신론자이고 종교 중에서도 기독교는 특히 싫어하는 종교라고 정중히 거절했습니다. 자신과 사모님 역시 다른 교회를 다니다 ****교회로 옮기게 된 일화를 얘기하면서 일단 담임목사의 설교를 한번 들어보고 판단하라고 하더군요. 별로 내키지 않았으나 그분의 성의를 면전에서 거절하기 어려워 "그리 하겠다" 대답했습니다.

예전에 천변길을 따라 ****교회 앞을 지날 때면 옆 건물에 설치된 '선한 이웃 연탄' 간판이 눈에 들어오곤 했는데, 이를 볼 때마다 '일반교회와 달리 이 교회는 어려운 이웃을 위해 무언가 봉사하는 교회구나'라고 생각한 적이 있었습니다.

더구나 이 교회 담임목사님은 "교회 건물 신축하는데 쓸 돈이 있으면 어려운 이웃을 위해 쓰겠다"라고 하셨다는데, '목사님의 그 말씀 중에 진정성이 얼마나 담겨있는지 가늠해 보기 위해서라도 설교를 한번 들어보는 게 나쁘지 않겠다'하는 생각이 들었습니다.

2013년 12월 8일. 이**집사님의 인도로 ****교회에서 박**목사님의 감동적인 설교를 들으며, 굳게 닫혀 있던 저의 '마음의 문'은 조금씩 열리기 시작했습니다.

여기서 잠깐 저의 어린 시절로 돌아가 보겠습니다. 저의 초등학교 시절, 부모님의 손에 이끌려 반강제로 다녔던 교회를 통해 저에게 각인된 기독교 신앙인의 모습은 '하나님에 대한 무조건적인 믿음'과 '교리에 절대적으로 복종'하는 모습이었던 것 같습니다. 이러한 느낌은 사춘기를 거치면서 일탈을 꿈꾸는 나의 청춘을 억압하는 거대한 시스템으로 인식되었고, 하나님이 내게 요구하는 삶은 '진정한 나만의 삶이 될 수 없는 것'이란 생각이 점차 강해지게 되었습니다.

청소년기를 거쳐 성인이 되어가는 과정에서 '세상은 왜 이렇게 부조리한가?' '나는 이런 세상에 왜 태어났으며 내가 살아가야 하는 이유는 무엇인가?'에 대한 해답을 찾기 위해 교회에 다니는 것을 포기하고 '실존주의 철학'과 '다른 종교들'을 탐구하는데 열을 올렸고, 이런 과정을 통해 얻은 결론은 '하나님이 인간을 창조한 것이 아니고 인간이 신을 창조했다' 였습니다.

'종교는 삶의 고통을 잠시 덜어주는 아편'일 뿐이라는 이러한 종교관은 저를 무신론자로 만들었고, 일반 사람들처럼 출세와 물질적 풍요만을 추구하는 세속적인 삶을 살게 하였습니다. 세상은 나를 위해 존재하는 것이고, 나와 내 가족을 위해 최선을 다하는 것이 내 삶의 전부라 생각하며 살았습니다.

하지만 저의 교만하고 무절제한 삶, 성공이라 착각했고 행복하다는 자기최면에 빠져 있던 저의 삶은 오래 가지 못하였습니다. 제가 사랑하고 믿었던 사람에게서 상상조차 할 수 없었던 배신을 당하고, 제가 존경하고 의지했던 주변 사람들에게 들이닥친 갑작스러운 죽음을 무기력하게 지켜보면서 저의 유물론적 사고관은 무너져 내렸습니다.

언젠가 유행했던 노래 가사에 나오는 '총 맞은 것처럼 뻥 뚫려 버린 채' 절망만이 남은 제 가슴속에서 다시 솟아나는 물음표는 "나는 왜 태어났으며, 내가 살아가는 존재 이유는 무엇인가?"였습니다.

십여년 전부터 저의 부족한 소양과 경박한 천성으로 인해 야기된 정신적 혼란을 극복하고 인간답게 살아가고자 나름 다양한 책들을 읽고, 그 주요한 내용을 묵상하며, 다양한 사람들과 교류하면서 그들의 '진정한 삶의 모습'을 본받으려 노력하고 있습니다.

아직 명확한 해답을 찾지 못하였지만, 최근 영감처럼 떠오른 저의 개인적 판단은 "삶의 진정한 가치는 '관계' 속에 있지 않을까?" 하는 것입니다.

그동안 인간관계를 포함한 '물질적인 관계'에만 치중해 살다 보니 잊고 살아왔던, 아니 의도적으로 외면하고자 했던 '영적인 관계', 곧 '하나님과 나와의 관계'를 회복할 필요성을 깨닫게 되었습니다. '기도'라는 훌륭한 소통 수단을 통해 하나님께 제 속마음을 털어놓고, 예수 그리스도의 말씀에 따라 살아가는 성실한 신앙인의 자세를 보여준다면, 언젠가 하나님께서도 저와의 관계를 회복해 주시고 응답해 주시리라 믿습니다.

아직도 저의 믿음은 약하고 세상이 내미는 유혹의 손길을 단호하게 거부하지 못하는 초보 신자에 불과하지만, 분명한 것은 그동안 굳게 닫혀 있었던 하나님을 향한 내 '마음의 문'이 ****교회를 통해 서서히 열리고 있다는 사실입니다.

이 자리를 빌려 주님의 뜻에 따라 어리석은 저에게 새로운 기회를 마련해 주신 박**목사님과 이**집사님, 그리고 새로운 신자들을 잘 보살피기 위해 헌신하시는 간사님들께 감사의 말씀을 올립니다.

2014. 11. 02.　　새 신자 대표 간증인 : 김상현

제7화 어머니와 마지막 나날들

*** 어머니와 마지막 나날들 ***

난 지금 88세의 어머니와 함께 살고 있다.

어머니가 27살에 나를 낳으셨으니 나보다 27년을 더 사신 셈이다.

어머니는 태평양전쟁이 일어나기 몇 년 전 일본 나고야에서 6남매 중 넷째로 태어나 전쟁 기간에 초등학교를 다니셨고 해방을 맞아 온 가족이 귀국하는 바람에 초등학교도 제대로 끝마치지 못했다. 그리고 가족이 탄 여객선 보다 살림살이를 실은 화물선이 부산항에 먼저 도착하는 바람에 졸지에 알거지가 되었다. 어머니는 열두 살 무렵부터 가난한 가정에 여자로 태어난 죄 아닌 죄 때문에 과자 공장 등을 전전하며 일하셨다. 어머니는 부모의 보호와 사랑은 차치하고 자신이 처한 상황이 한입이라도 줄여야 하는 천덕꾸러기에 불과 하다는 사실을 깨달았고, 그 결과 먹고 생존하는 것이 주된 관심사가 되었으며 팔순을 훌쩍 넘긴 지금도 먹거리에 집착하시는 모습을 보면서 '사람의 천성은 바뀌지 않는다'라는 사실을 새삼 느낀다.

사실 어머니와 살림을 합치고 나서 '따로 살 걸 잘못 했구나'하는 후회가 들기도 했다.

2009년 아버지가 돌아가신 후 어머니는 혼자 사시기에 32평 아파트가 너무 넓다며 아파트를 처분하고 소형 주거지로 옮겨 사시기를 원했다. 그런데 그 아파트가 돌아가신 아버지 명의로 되어있어 아버지 호적에 올라 있는 서울의 사촌 누나들까지 포함한 자식들 간 이해관계가 얽히고설켜 처분이 쉽지 않았다. 특히 형은 어찌 된 영문인지 끝까지 처분을 반대하는 바람에 결국 내가 나서서 법원에 재산권 분할 명령 신청을 했고, 여러 차례 법원을 오간 뒤 법원의 처분 허가 명령이 나왔다. 그리고 시세보다 약 삼천만원 저렴한 금액에 경매가 진행되어 형과 동생지분(카드사 압류) 그리고 누님의 세금 추징분을 제외한 1억이 조금 넘는 금액으로 내가 거주하는 보령시에서 어머니와 살림을 합쳐 전세를 살게 되었다.

살림을 합친 지 2년이 지날 무렵 무슨 생각에서 인지 어머니가 나가서 혼자 살겠다며 "내 돈 내놔라"라는 소리를 해댔다. 어머니 명의로 재산을 만들면 또다시 형제간 상속 문제가 생길 것을 염려해 명의를 내 명의로 했건만 몇 날 며칠간 독설을 퍼부으며 나를 남보다 못하게 대했다. 처음엔 '나에게 서운한 점이 있어서 그런 것이겠지' 하고 어머니께 잘못을 빌고 내 서운한 감정을 달래었다. 그런데 함께 생활한 지 5년째 되는 해에 또 한 번, 그리고 올해 설 명절을 며칠 앞두고 또 어머니의 "내 돈 내놔라" 사건이 발생하자 나는 어머니에 대한 오만가지 정이 떨어졌다.

가장 큰 이유는 어머니가 15년 전부터 깊게 빠져든 '여호와의 증인'이란 종교 때문이다. 어머니는 당신과 함께 살면 내가 어린 시절 그랬던 것처럼 '여호와의 증인'을 믿는 신앙인으로 되돌아가기로 약속했다고 주장하신다. 초, 중, 고 시절 아버지의 강요된 믿음을 통해 나 역시 7~8년간 이 종교에 몸담았었다. 당시 아버지를 비롯한 거의 모든 신자 마음에는 '곧 닥쳐올 세상의 종말(아마겟돈 전쟁)에서 우리만 구원받고 하나님이 새롭게 창조한 낙원에서 영원히 살게 된다'라는 '종말론'이 자리 잡고 있었다. 따라서 부동산 보유는 물론 장기적인 경제계획과 자녀의 정규교육을 거부한 채 각박한 현실의 삶을 끝장내줄 '세상의 종말'이 하루속히 도래하기만 기대하며 살아갔던 것이다. 하지만 시간이 흘러 '종말론'이 잘못된 교리라는 사실이 서서히 밝혀지자 '구렁이 담 넘어가듯' 종말론을 폐기해 버린 이 종교를 가장 먼저 고모(아버지를 입교시킨)가 독실한 40년 믿음을 내팽개쳤고, 아버지도 한동안 신앙생활을 접으셨다. 그런데 어찌 된 일인지 어머니는 뒤늦게 신앙심이 깊어져 갔다. 아마도 종말론 교리가 자취를 감추기 시작한 이후 본격적으로 신앙에 입문하여 '부활과 영생'에 기반한 믿음을 키워온 탓이라 생각된다.

내 인생을 돌이켜 생각해 보면 '여호와의 증인'들만의 폐쇄적이고 독선적인 신앙 형태는 어린 나에게 엄청난 중압감으로 다가왔고 청소년기 성장 과정에서 가치관의 혼란을 초래했다. '종교는 인류가 창조한 최고의 문화유산'일 뿐이며 '교리가 사람보다 우선시 되는 것은 광신'이란 신념이 정립된 지금의 나에게 '여호와의 증인'은 내 삶에 조금도 끼어들 수 없는 사이비 종교였다.

하지만 어머니가 말년의 위안으로 삼고 있는 이 종교를 대놓고 비난하거나 어머니가 다니시는 걸 만류한 적은 한 번도 없다. 어머니의 믿음 대로 이생에서 누리지 못한 행복한 삶을 여호와 하나님이 만든 낙원에서 부활하여 영원히 누리시기를 바랄 뿐이었다. 하지만 나와 함께 사는 어머니를 포함해 광주의 형과 형수 그리고 병역기피로 교도소를 다녀온 조카까지 이 종교를 믿는 사람들의 공통된 시각으로 볼 때 나는 '이방인'으로 취급될 수밖에 없다는 사실을 뒤늦게 깨달았다.

원래 '여호와의 증인'은 같은 가족 일지라도 믿지 않는 사람을 '이방인'이라 칭하며 경계의 대상으로 삼는다. 참 하나님 여호와의 자녀들인 '양무리'에 속하지 않은, 믿음의 울타리 밖에 존재하는 염소와 같은 '위험인물'인 것이다.

가족이란 무엇인가?

혈연으로 맺어지고 한식구로 오랜 시간을 살아가면서 세상에서 누구보다 편하고 고맙고 소중한 사람들이 아닌가? 어떤 상황에서도 지지 해주고 손을 내밀어야 하는 관계가 가족관계일 것이다. 이런 가족관계를 부정하고 부활과 낙원이라는 망상으로 교인들을 쇠뇌 시키며, 여호와 하나님만을 진정한 아버지로 섬기면서 현재 삶을 영위하도록 강제하는 이 종교가 어떻게 세상에 유일한 참종교라 할 수 있겠는가.

그렇지만 이미 잘못된 신앙심으로 굳어져 버린 어머니와 형의 가족들 모두를 설득할 수는 없었다. 현재 함께 살고 있는 어머니가 당신의 종교적 관점에서 나를 이방인 취급하며 "나가서 혼자 살겠다"라고 하시는 말씀이 나와 '가족관계 단절'을 의미하는 심각한 말임을 미처 깨닫지 못하고 있다는 생각이 들었다. 그리고 내가 서운한 감정을 추스르고 포용력으로 어머니를 감싸 안는 것만이 갈등의 유일한 해결책임을 알게 되었다.

어머니와 함께 살게 되면서 처음 3년 동안 일 년에 한 번씩 어머니는 장염 진단을 받고 입원하셨다. 나 역시 장에 탈이 나는 일이 많았다. 원인은 상한 음식을 아깝다고 드시는 어머니의 습관 때문이다. 평생을 가난 속에서 살아오시면서 몸에 밴 습관인지라 내가 아무리 잔소리를 해대도 소용이 없다. 거기에 무지에서 오는 잘못된 생각이 문제를 크게 만들었다. 예를 들면 '상한 음식도 팔팔 끓이면 원래 상태로 되돌아간다'든가 '냉장고에 넣어두면 한 달이 지난 음식도 괜찮다'라고 믿는 것 등이다. 두 식구 사는데도 음식을 하시면 기본이 4~5일간 줄기차게 먹어야 하는 양이고 두부와 어묵은 냉장실 대기시간이 기본 한 달이다. 위생개념이 거의 없어 화장실에서 일을 보고도 손을 씻지 않고 설거지통에 걸레를 빠신다.

무엇보다 문제는 생존에 초점을 맞춘 어머니의 절약 정신이다. 물건 구매의 원칙은 '품질은 따지지 않고, 양 많고 가격만 싸면 된다'라고 생각하신다. "평생 이런 처진 거리만 드시다가 돌아가실 거냐"라고 쓴소리를 해대도 '강 자매 귀에 불경 읽기'다. 프라이팬에 생선이나 고기를 굽고 남은 기름을 닦지 않고 재사용한다. 이런 모습을 볼 때마다 내가 씻지만 어머니 표정이 좋지 않다.

보청기 양쪽을 다 해드렸지만 귀찮아서인지 필요성을 인식하지 못해 그러는지 외출할 때 이외에는 착용하지 않으신다. 그러니 평상시 어머니와 대화가 힘들다. 이제는 "보청기를 끼세요"라는 내 말을 "보청기 끼고 내 잔소리 들으세요"라고 받아들이는 건 아닐까?

사람은 나이가 들수록 오래된 기억은 어제 일처럼 생생하게 기억해 내지만 최근에 입력된 사건들은 기억의 저장고에서 길을 잃는다. 5년 전부터 2개월에 한 번씩 어머니를 모시고 홍성에 있는 신경과에 다닌다. 보령에 어머니의 뇌경색을 진료할 신경과 전문의가 없기 때문이다. 요즘 진찰실에서 보이는 어머니의 몸짓은 2년 전보다 생기를 많이 잃어버린 모습이다. 아직 치매 단계에 진입하진 않았지만, 창밖을 바라보는 멍한 어머니의 표정과 머뭇거리는 거동을 볼 때면 오히려 불같이 화를 내시던 어머니 모습이 그리워지기도 한다. 자연스러운 노화현상이지만 '내가 어머니께 스트레스를 드려 치매가 빨리 올 수 있다'라는 생각에 마음이 괴롭다.

'어머니와 같이 살게 되면 생전에 즐거운 추억을 많이 만들어 드리겠다'하고 다짐했건만 어쩌다 침을 흐리며 소녀 같은 미소를 지으시는 어머니 얼굴과 마주치거나, TV를 크게 틀어놓고 안방에서 축 늘어져 주무시는 어머니 모습을 볼 때마다 나는 불효자란 생각에 눈시울이 뜨거워진다.

어머니에게 나는 어떤 자식으로 기억될까?

평소에도 자식 자랑에 인색하신 어머니가 이방인이 아닌 당신의 체온을 나누어 줄 세상에서 가장 사랑스러운 자식으로 나를 기억해 줄 수는 없는 것일까?

하지만 어머니. 어린 시절부터 오늘까지 내 기억 속에 살아있는 당신의 모습은 나에게 있어 세상 누구보다 사랑스럽고 소중한 사람입니다.

제8화 두 아들에게 보내는 편지

a. 사랑하는 첫째 아들에게

b. 사랑하는 둘째 아들에게

c. 뿌리에 대하여

d. 종교에 대하여

e. 대인관계에 대하여

f. 광화문 촛불집회에 참석하고서

g. 5.18 민주화운동 39주기 추모식을 보면서

사랑하는 첫째 아들에게

며칠 전까지 옷깃 사이로 차갑게 들이치던 바람이 어느덧 따사롭게 바뀌어 포만감과 행복감을 느끼게 해주는 일요일 오후에 사랑하는 아들에게 편지를 쓴다.

2015년도 벌써 1/4이 지나갔음을 찢겨 나간 달력을 보며 새삼 느끼게 된다. 사람의 한 생애가 이렇게도 빨리, 그리고 덧없이 지나가는 것임을 오십(知天命)을 넘어서야 아빠는 실감하고 있단다.

성인이 되었고, 군 복무 또한 무사히 마쳤고, 이제 대학을 졸업하고 사회인으로 첫발을 내딛고자 준비하고 있는 아들에게 아버지가 아닌 인생의 남자 선배로서 지나온 삶의 아쉬운 몇 가지 부분들을 얘기하고 싶구나.

어린 시절 아빠도 나에게 주어진 시간은 엄청나게 많고, 성공의 기회도 많이 찾아올 거란 기대를 하고 있었다. 인생의 시련이란 나 자신을 단련시키는 담금질이라 여기며 젊음의 광기에 취해 세상을 우습게 보기까지 했던 게 사실이었지.

지금 삶을 되돌아보니 엄청 많을 것 같았던 시간은 손가락 사이로 흘러내리는 고운 모래처럼 사라져 버렸고, '기회는 평생에 3번 온다'라는 세상 속설처럼 주어진 환경 속에서 아빠가 선택하고 변화시킬 기회란 몇 번에 불과했다. 아니 기회가 왔는데도 이를 포착할 능력이 없었고, 기회를 포착했더라도 과감하게 변화할 용기가 없었다고 하는 게 정확하겠구나.

어찌 되었든 엄마를 만나 결혼하고 천금 같은 너와 동생을 얻었을 때 아빠에게 남은 희망은 평범한 소시민으로서 소소한 삶을 행복하게 살아가는 것뿐이었지. 그러나 이 소박한 꿈마저 이루기 힘든 상황이 발생하고 말았단다. IMF를 기점으로 경제적 어려움과 가정불화로 아빠는 너희들과 떨어져 지낼 수밖에 없었다.

이 세상 무엇과도 바꿀 수 없는 소중한 존재들이었기에 아빠의 기대에서 점점 멀어져 가는 너희들을 바라보며 아빠의 마음은 실망감으로 채워졌고, 안정감을 상실한 채 너희들을 몰아세우기만 하는 비정한 아버지로 변해갔음을 인정하지 않을 수 없구나. 같이 지내면서 네가 힘들 때 다정한 상담자가 되거나 든든한 버팀목이 되어주지도 못하면서, 결과만을 따져 너를 윽박지르고 자존심에 큰 상처를 남겼음을 아빠는 지금 후회하고 있다. 진심으로 너의 용서를 바란다.

편지를 쓰는 이 순간도 네가 사서 보내준 외투를 입고 있다. 이 옷을 입을 때마다 너를 생각한다. 힘들게 일해 번 돈으로 아빠를 위해 선물 해준 사실을 생각하면 네가 '어느새 장성한 아들이 되었구나' 하는 마음이 들어 얼마나 대견한지 모르겠다.

인생에서 부모와 자식으로 맺은 인연은 부부의 연보다 훨씬 큰 것이란다. 자식은 부모를 위해 죽을 수 없지만 부모는 자식을 위해 죽을 수 있는 동물이 사람인 것이다. 그동안 아빠나 엄마에게 가졌던 서운한 감정의 찌꺼기들은 깨끗이 지워 버리고 새로운 마음가짐으로 부자간, 모자간 정을 쌓아가자꾸나.

인생 황금기인 20대 초반을 살아가는 너에게 있어 가장 중요한 것은 너의 남은 80년 가까운 시간을 어떻게 살 것인지 설정하는 것이다. 지금까지 살아왔던 삶은 잊어라. 인생은 마라톤과 같다. 포기하지 않고 방향성을 잃지 않으면서 꾸준히 달려 나간다면 너의 꿈을 이룰 수 있다.

앞으로 네가 좋아하는 일을 하면서 경제적인 안정을 이루고 가정을 꾸려 사랑하는 아내와 자식에게 행복을 가져다줄 수 있는 사람이 되어야 한다. 어떤 직업에 종사하면서 어떤 직장에서 일하느냐가 가장 중요 포인트란 건 두말할 필요가 없지. 세상의 수만 가지 직업 중 네가 잘할 수 있는 직종을 몇 개 추려낸 다음 네가 도전해서 성취할 가능성을 고려해 너의 진로를 결정하기 바란다.

길은 지름길만 있는 게 아니다. 시간과 에너지를 소모하며 다소 돌아가는 길이라도 후회 없는 길을 가야 한다. 직업이란 겉모습과 실제가 다른 경우도 많으니 희망 직종의 직업정보를 발로 뛰어 자세히 파악한다면 시행착오를 많이 줄일 수 있을 것이다.

얘기가 길어졌구나. 아빠의 도움이 필요하면 언제든지
전화, 문자 하기 바란다.

2015. 03. 29.　　　***에서 아빠가.

스스로 생각하고, 스스로 탐구하고, 제 발로 서라

- 임마누엘 칸트 -

사랑하는 둘째 아들에게

아침, 저녁의 쌀쌀한 공기가 성큼 다가온 가을을 느끼게 하는구나. 네가 땀 흘리며 열심히 일했던 이곳의 분위기도 이젠 차분하게 가라앉아 다가오는 가을을 맞고 있다.

개인의 한 생애가 이렇게도 빨리, 그리고 덧없이 지나가는 것임을 오십이 넘어서야 아빠는 실감하고 있단다.

그래서 학생 신분을 벗어나 빨리 어른이 되고 싶어 하는 아들에게 인생의 남자 선배로서 지나온 삶의 여정에서 아쉬웠던 부분들을 얘기하고자 한다.

어린 시절 아빠도 나에게 주어진 시간은 엄청나게 많고, 기회도 아주 많을 것이란 희망에 차 살았었다.

하지만 지금 삶을 되돌아보니, 엄청나게 많을 것 같았던 시간은 눈 깜짝할 사이에 지나가 버렸고, '인생에서 기회란 세 번 온다'라는 세상 속설처럼 주어진 환경 속에서 아빠가 선택하고 변화시킬 기회란 몇 번에 불과했다. 아니 정확히 말하면 기회가 왔는데도 이를 포착할 능력이 없었고, 기회를 포착했더라도 과감하게 변화할 용기가 없었다고 해야겠지.

현재 고2 문과반에 재학 중인 김**의 미래를 설계해 보자.

지금 너의 성적은 전국 기준 중하위권이고 남은 1년 3개월을 죽기 살기로 노력한다면, 공부 잘하는 친구들이 놀고만 있지 않을 것인바 중중위권이나 기적적으로 중상위권에 들어갈 수도 있겠지. 그래도 네가 목표로 하는 중앙대 방송학과는 합격하기 힘들 것이다.

물론 잘하면 서울의 이류, 삼류대학 비인기 학과에 갈 수 있겠지만 이런 곳에 진학하는 것은 시간과 돈만 버리고 청년 실업자가 되는 지름길이다. (문과의 경우 특히 심하다)

만일 네가 1년 3개월 후 이런 곳에 가겠다고 한다면 부모에게서 독립해 모든 일들을 스스로 해결해야 할 거다.

오래전 지나가 버린 학창 시절이 내 인생의 황금기였다는 사실을 아빠는 다시금 깨닫게 된다.

학생은 돈을 벌기 위해 노력하지 않아도 되고, 혹시 몸이 불편한 가족이 있더라도 그저 공부에 전념하면 된다. 그리고 주위에 비슷한 환경에 처한 순수하고 맑은 영혼을 가진 친구들과 학교생활을 하면서 선의의 경쟁을 통해 우정을 쌓기만 하면 된다. 이성 친구와의 교제를 통해 겪게 되는 정서적 혼란이나 시간, 정력 낭비도 얼마든지 피할 수 있다.

인생의 황금기인 학창 시절을 낭비하지 마라!

일찍 사회인이 되지 않고 대학 4년간의 학창 시절을 더 즐기고 싶다면 **학생의 본분인 공부에 전념해라!**

부모가 바라는 수준의 대학에 가기 위해 지금부터라도 죽기살기로 공부할 마음의 준비가 되었다면 다음 사항을 꼭 실천해야 목표를 이룰 수 있으리라 아빠는 확신한다.

1. 지금 만나는 여학생과의 만남은 내년 수능시험 이후로 미뤄라.
2. 게임과 인터넷중독에서 벗어나기 위해 아이팟과 휴대폰을 버리고, PC방 또는 게임방에 절대 출입하지 마라.
   (유혹하는 친구가 있으면 절교해라. 그 친구는 악마다.)
3. 아침에 등교 문제로 더 이상 엄마의 꾸지람을 듣는 일이 없도록 해라.
   (아침에 스스로 일어나는 습관을 들이지 못하는 실행력은 너 스스로가 무능력한 인간임을 증명하는 것이다.)

아빠는 우리 가족 모두를 사랑한다.
하지만 가족 구성원 간 사랑과 보살핌도 각자 본분에 맞게 살아갈 때 존재하는 것이지 무조건으로 생성되고 베풀어지는 게 아니란 점을 가슴속 깊이 새기기 바란다.

2013. 09. 02. ***에서 아빠가.

고추잠자리의 군무가 시작되는 가을 들머리입니다.
아침저녁으로 선선한 바람이 불어와 책 읽기에 좋은 계절,
독서하며 지식을 얻고
올바른 사색을 통해 지혜를 구해보는 건 어떨까요.
공자는 논어에서 배우고도 생각하지 않으면 어둡고
생각하고도 배우지 않으면 위태롭다고 했습니다.

사색과 독서는 두 개의 수레바퀴와 같습니다.
독서 없는 사색은 독단에 빠지기 쉽고
사색 없는 독서는 지식의 과잉을 초래할 뿐입니다.
책을 통해 새로운 지식을 얻고
사색을 통하여 제 발로 서는 것이
올바른 사색일 것입니다.

괴테는 사색하는 인간의 가장 아름다운 행복은
탐구할 수 있는 것을 모두 탐구하고
탐구할 수 없는 것을 조용히 우러러보는 것이라고 했습니다.

독서와 사색의 계절 가을,
더욱 깊어진 당신을 만나고 싶습니다.

- "따뜻한 하루" -

사랑하는 두 아들 보아라
- 뿌리에 대하여

'우리는 왜 태어나 무엇을 이루기 위해 한평생을 살다가 죽는 걸까?' 인간이라면 누구나 갖는 의문일 것이다.
아빠도 소싯적 가족 모두가 믿었던 종교(여호와의 증인) 때문인지 이러한 철학적 문제들을 고민한 적이 많이 있었다.

어떤 이는 "호랑이는 가죽을 남기지만 사람은 이름을 남기기 위해서"라 하고, 어떤 이는 "자식과 재물을 남기기 위해서"라 하고, 또 다른 어떤 이는 "하나님이 각자에게 부여해 준 소명을 다하기 위해 산다"라고 말했지.

과학자들은 지구 생명의 기원이 수십억 년 전 탄소와 H2O(물)에서 시작되어 유기물에서 단세포로, 단세포에서 다세포 생물로, 그리고 기나긴 진화의 과정을 거쳐 오늘날 인간이란 고등동물이 생겨났다고 주장한다. 아빠는 무신론자이기에 이 주장을 믿고 따른다.

종교에 대해서는 다음에 얘기하기로 하고 오늘은 아빠와 너희들을 부모와 자식으로 맺어준 근본(뿌리)을 얘기해 주고 싶다.

너희들 이름은 너희들이 태어난 뒤 한 달이란 공을 들여 동양철학과 음운학 연구 과정을 거쳐 아빠가 직접 지은 것이다.
아빠 세대는 대부분 '작명소'란 곳이나 할아버지가 직접 지어준 이름을 사용하고 있단다.

建宇(세울 건. 우주 우)
네가 네 삶의 창조자로서 자신만의 세계를 만들고, 질서를 유지 시키고, 창조한 그것을 성장시켜 나가라는 의미의 이름이다.

哉宇(비롯할 재. 우주 우)
거대한 우주도 한순간 어떤 작은 물질의 빅뱅(Big Bang)으로 만들어졌듯이 시작의 중심(핵심적인 인간)이 되라는 의미의 이름이다.

그리고 너의 들의 성(Family Name)은 울산 김씨이다.
울산 김씨는 신라의 마지막 왕이자 경주김씨인 경순왕의 둘째 아들인 '덕지' 할아버지로부터 시작되었다.
울산 김씨라는 집안이 두각을 나타내게 된 계기는 고려시대

김자 환자 성함을 가지신 할아버지(중시조. 1세)였고, 이후 조선 중종 때 '하서 김인후' 할아버지께서 유교 18 성현을 모신 성균관 문묘에 배향됨으로써 호남에서 광산김씨, 해남윤씨와 더불어 명문 호족 반열에 올랐다고 볼 수 있다.

전 세계 4만이 채 되지 않는 작은 씨족 집안임에도 20세기 이후 이름난 분들을 꼽아보자면, 우리나라 2대 부통령을 지내고 고려대학교와 동아일보를 세운 김성수, 삼양사 등 굴지의 기업을 일으킨 동생 김연수, 대한민국 초대대법원장을 지낸 김병로, 국무총리를 역임한 김상협 등 이름난 일가친척들이 많이 있다는 점을 기억했으면 한다.
(유감스럽게도 김성수, 김연수 두 분은 '친일 인명사전'에 등재돼 있다. 종중에 대한 기타 자세한 사항은 울산 김씨 종친회 싸이트 - www.ulsankim.net 를 참고하기 바란다.)

덧붙여 얘기하면 울산 김씨는 중시조 할아버지의 세 아들에 의해 3개 파로 나뉘어져 있는데 너희들은 셋째아들 계(季)파에 속하며, 이를 더욱 세분화하면 선동(善洞)파에 속한다. 그리고 아빠는 중(中)자 항렬을 쓰는 34세손이고, 너희들은 수(洙)자 항렬을 쓰는 35세손이다.
뿌리 깊은 나무는 아무리 강한 바람이 불어와도 흔들릴지언정 뿌리가 뽑히지 않는다.

명문 집안의 좋은 유전자가 대대손손 전해지는 이유는 뿌리가 있기 때문이다. (조선 중기까지 족보를 가진 양반계급은 전체 인구의 5%도 되지 않았다)

처음의 질문으로 돌아가 보자.
"삶은 달걀"이다 라는 농담처럼 삶의 목적을 소주 내음 짙게 풍기는 포장마차 따위에서 '순간순간을 즐기자!'라고 외치는 사람도 있고, '삶의 목적을 찾는 자체가 무의미하다!' 하면서 염세적이거나 종교적 입장에 서는 사람도 있다.

아빠는 '삶이란 한 편의 드라마'라고 생각한다.
내 생애 '단 한 편, 그리고 수정 불가능한 다큐멘터리'를 찍는 것처럼 자신이 책임지고 살아가야 할 삶이라 생각한다.
80년 또는 90년이란 시간으로 주어진 필름에 얼마만큼 의미 있는 영상을 담느냐는 감독이자 주연배우인 나 자신에게 달려 있다. 주변 사람들은 그 사람의 다큐멘터리를 보면서 그 사람을 평가할 것이다. 아빠는 죽는 순간 '그래도 꽤 괜찮은 드라마였어'라는 생각이 들도록 살고자 한다.

사람들은 가끔 '추억'이란 방식으로 자신의 다큐멘터리를 재생해 보곤 한다. 누군가를 사랑하며 가슴 벅찬 순간들을 떠 올릴 때면 행복해지겠지. 반면 자신이 무의미하게 낭비한 시간이나

하지 말았어야 할 실수들이 담긴 부분을 회상하다 보면 '이 부분은 편집해 버렸으면' 하는 마음이 들 때도 있을 거야.
이럴 때 인간에겐 '망각'이란 좋은 편집 수단이 있단다.
돌이킬 수 없는 과거에 연연하다가 다가올 소중한 시간마저 망쳐 버리는 어리석은 사람이 되어서는 안 된다.

너희들은 인생의 황금기인 20대를 보내고 있다.
생애에서 가장 감동적이고 아름답고 생동감 넘치는 영상을 담을 수 있는 유일한 시기이기도 하다.
다시 한번 강조하는데 너희들의 황금 시기를 만끽해라.
실수하더라도 '무의미하게 보낸 시간(아무것도 담겨 있지 않은 필름)'보다는 낫다.
그리고 아빠, 엄마, 주변 사람들로부터 피상적인 모습 일지라도 그들이 펼치는 다큐멘터리를 보면서 교훈을 얻고 너희들의 다큐멘터리 제작에 참고 하도록 해라.

무더운 여름이다. 먹거리에 신경 써 '더위'란 녀석이 들어올 여지를 주지 말거라.
사랑하는 나의 아들들에게 아빠가.

2016. 07. 23

종교에 대하여

사랑하는 아들 보아라.

엊그제 경주에서 일어난 지진으로 인해 많은 사람이 길거리로 뛰쳐나오고 불안에 떠는 모습을 TV에서 지켜보면서, 자연을 지배하고 있다고 자부하는 현대인에게도 두려움의 대상인 자연재해가 '수천 년 전 인류에겐 어떤 공포로 다가왔을까?' 하는 생각을 해보았다.

원시종교는 인류가 자연에 대해 갖는 두려움과 초자연적 현상에 대한 경외심에서 출발했다고 본다. 시간이 흐름에 따라 원시종교는 다른 문화, 다른 종교와의 교류를 통해 오늘날의 고급 종교로 발전한 것이다. 특히 샤머니즘(무속신앙)과 토테미즘(혈연으로 형성된 원시 부족 집단이 특정 대상을 집단의 뿌리로 믿고 숭배하는 것)은 원시종교의 대표적 형태라 할 수 있다.

오늘날 우리나라에서 무당, 점집 등 변형된 샤머니즘을 주변에서 볼 수 있듯이 샤머니즘은 우리 한민족에게 뿌리 깊은 원시종교라 할 수 있다. 우리의 단군신화를 현대적으로 해석해 보면 곰을 토템으로 하는 부족과 호랑이를 토템으로 하는 두 부족 간 주도권 다툼에서 호랑이를 토템으로 하는 부족이 패하여 곰 토템 부족에게 흡수, 통합되었으며 승리한 곰 토템 부족의 당골레(단군. 무당을 칭하는 옛말.)를 수장으로 하는 통합된 부족 국가 이름이 '고조선'이라고 해석할 수 있겠지.

오늘날 교세를 기준으로 대표적인 종교를 살펴보면 크게 1. 힌두교와 여기서 한 단계 발전한 불교, 2. 천주교와 개신교를 하나로 보아 기독교(크리스트교), 3. 기원 622년 무함마드라는 예언자를 통해 세상에 나온 이슬람교(마호메트교)를 꼽을 수 있다.

인도의 힌두교에서 출발한 불교는 정치적 요구에 따라 자신의 해탈보다는 중생 구제에 역점을 둔 '대승불교'가 삼국시대 중국을 거쳐 한반도에 들어왔다, 불교는 고려의 국교가 되면서 국가의 전폭적인 지원과 우수 인재 영입으로 교리(사상)가 심화하고, 선종과 교종으로 분화되면서 발전하였다. 불교는 우리나라 종교, 문화, 예술에 천년이 넘는 세월에 걸쳐 폭넓은 영향을 끼친 대표 종교라 할 것이다.

우리나라에 들어온 지 200년에 불과 하지만 가장 많은 교인 수와 종파를 가지고 있는 기독교에 대해 살펴보자. 계속되는 분파 과정을 통해 다양한 종파를 가지고 있는 기독교 (로마 카톨릭 + 동방 정교회 + 성공회 + 구세군 + 예수교장로회 + 성결교 + 기독교장로회 + 감리교 + 침례교 + 아미시 + 몰몬교 + 순복음교회 + 통일교 + 퀘이커 + 여호와의 증인 + 하나님의 교회 + 신앙촌 + 구원파 등) 는 일반인들이 "개독교"라 욕할 만큼 교세 확장을 위해서라면 타 종교나 타 종파를 이단으로 매도하는 가장 문제가 심각한 종교다.

서구 문명의 바탕을 이룬 두 개의 축은 '그리스 사상'과 '기독교'라 할 수 있는데 역사를 돌이켜 보면 중세 시대의 [십자군전쟁]을 비롯해 '로마 카톨릭'과 '개신교' 간 [종교전쟁], [마녀사냥] 등 예수의 이름으로 자행된 수많은 인명 살상의 배후에 기독교가 있었음을 잊어서는 아니 될 것이다.

마지막으로 예언자 무함마드가 알라의 계시를 받아 아라비아반도에서 포교에 성공하고 급속하게 세력을 확장한 이슬람교가 있다. 코란의 내용에 '구약성경'의 창세기 내용과 흡사한 부분이 많고 무함마드가 이슬람교를 창시하는 과정에서 '유대교'와 '이단 기독교' 지도자의 영향을 많이 받았으며, 무함마드 집안이 아브라함의 첫째 아들이었던 이스마엘의 후손임을 주장한 점에서 이슬람교의 기초는 유대교와 기독교라 할 수 있다. (아브라함의 첫째 아들은 '이스마엘'이지만 첩의 자식인 바본처 소생인 '이삭'이 장손이 되었으며, 이삭의 후손이 이스라엘의 다윗왕이고 예수라고 성경에 씌어져 있다.)

인류 문명 발원지에서 오늘날 3대 종교의 모태가 형성된 것은 결코 우연이 아니다. 종교가 인류 문화 발전과 맥을 같이하기 때문이다.

중국의 황하문명에서 유교 사상이 탄생했고, 오늘날 시리아, 이란, 이라크가 위치한 중동지역에서 메소포타미아 문명과 '조로아스터교'가 생성되었다. 그리고 '조로아스터교'의 절대신에 의한 심판, 사후세계관, 선과 악의 대결 등은 유대교와 기독교, 이슬람교의 핵심 교리가 되었다. 그리고 인도의 인더스문명에서 힌두교와 불교가 발생하였다.

종교 중에서 배타적인 성향이 가장 강한 종교가 '유대교'와 '기독교'다. 이는 기독교의 뿌리인 유대교에 생성과 발전 과정에서 원인을 살펴볼 수 있다.

유대교는 유대인의 종교다. 유대인이라 하면 홀로코스트와 중동전쟁의 신화 같은 연승, '탈무드'를 연상하겠지만 성경에 창세기부터 신명기까지 5개의 경전이 유대교의 핵심 경전인 '토라'란 사실을 아는 사람은 별로 없을 것이다.

유대인은 아브라함을 조상으로 하는 민족으로 현재 이스라엘이 있는 가나안 지역에서 살다가 자연재해로 인해 이집트로 이주하여 종살이하던 민족이었다. 이집트에서 오래 거주하는 동안 유대인은 인구수에서 괄목할 만한 성장을 하였고 이는 이집트 통치자 파라오를 두렵게 하였다. 이집트의 탄압을 피해 '모세'라는 탁월한 지도자의 영도로 이집트를 탈출(출애굽) 하였고, 그들의 유일신 '야훼가 선택한 유일한 민족'이란 자부심으로 가나안 지역을 무력으로 정복해 국가를 이루었다.

기원 70년에 로마의 속주 지배에 반항하여 반란을 일으켰다가 그들이 살던 땅에서 모두 추방되어 전 세계에 흩어져 살게 되었다(디아스포라). 2차세계대전 중 히틀러에 의해 수백만이 죽임을 당하였고(홀로코스트) 미국, 영국의 도움으로 1948년 다시 가나안 지역에 이스라엘 국가를 세운 민족이다. (세계 패권국인 미국을 움직이는 힘의 배후에는 유대인이 있으며, 세계 금융과 언론을 장악하고 있다. 인정하고 싶지 않으나 노벨상 수상자가 압도적으로 많은 민족이다)

'유대교'는 이집트 신앙을 기반으로 메소포타미아 지역에 널리 퍼져 있던 조로아스터교의 교리를 받아들이고 이집트 탈출 후 가나안 지역을 정복하는 과정에서 태동한 선민의식을 추가하여 만든 율법(구약성경)을 핵심으로 완성된 종교라 보면 별 무리가 없을 것이다.

'기독교'는 유대교인이었던 예수가 사촌 형제인 세례요한의 영향을 받아 창시한 종교이다. 자신의 '죽음'으로 인류를 원죄에서 구원한 하나님의 아들(메시아)이며, '사랑'과 '평등'이란 새로운 율법의 실천을 주장한 '그리스도 예수'를 믿는 종교다. (유대교는 예수를 메시아로 인정하지 않는다) '기독교'는 유대교의 율법서인 구약성경에다 신약성경을 더한 '성경전서'를 핵심 교리로 한다. 신약성경은 예수의 행적을 기록한 4대 복음서(예수 사후 A.D35~40년에 마태, 마가, 누가, 요한의 이름으로 기록됨)와 기독교를 유대인만의 종교에서 세계인의 종교로 확장, 발전시킨 사도 바울이 각 교회에 보내는 편지들을 골격으로 하여 구성되어 있다.

종교는 인류와 함께 발전해 왔으며 인간을 특별한 존재로 취급하면서 존엄성과 도덕, 윤리 개념을 불어넣어 주었다. 하지만 종교는 인간의 필요에 근거해 만들어진 것이다. 바꿔 말하면 인간이 신을 창조한 것이지, 신이 인간을 창조한 것이 아니란 뜻이다.

종교의 가장 큰 순기능은 인류가 서로 사랑하며, 개인과 공동체의 선을 추구하고, 마음의 평화와 행복을 느끼며, 인간이 갖는 육체적 한계성을 극복하는 데 있다.

하지만 어떤 종교가 자기 종교(종파)만을 참종교라고 주장하거나, 종말론을 주장하거나, 천륜과 사회의 보편적 진리마저

부인하는 종교(종파)라면 단언컨대 '사이비 종교'라 판단하고 가까이하면 안 된다.

종교 생활을 하든 하지 않든 종교를 제대로 알고, 종교에 대한 올바른 태도를 가짐으로써, 종교의 순기능을 활용하는 사람이 될 수 있음을 명심하였으면 한다.

2016. 09. 19.

대인관계에 대하여

현재까지 우주에서 유일한 생명체가 존재하는 것으로 여겨지는 지구별. 그리고 하찮은 단세포동물에서 진화하여 마침내 이 지구를 지배하게 된 호모 사피엔스(인간).
이들 인간을 '사회적 동물'이라 부르는 이유는 인류가 사회집단을 이루고 공생하면서 지구를 지배하는 최상위 지배종으로 성장했기 때문일 것이다.
인간은 태어나 죽을 때까지 다른 인간의 도움을 받고 또한 이들에게 도움을 주면서 살아간다. 따라서 '인간관계'는 그 사람의 내면 모습을 외부로 나타내는 과정이라 할 수 있다.

사람은 성별, 피부색 등 외모뿐 아니라 언어, 문화, 종교에 따른 다양성으로 인해 천차만별의 형태로 살아간다. 그리고 우리 각자는 스스로 각인시킨 계급(성, 재산, 신분)에 따라 상대방을 구분하고 응대하게 된다.
독일의 위대한 철학자 임마누엘 칸트는 '사람을 대함에 있어 목적으로 대하고 수단으로 대하지 말라'고 했다. 상대가 누구건 간에 나와 똑같은 소중한 인간이란 사실을 명심하고 상대를 내가 정한 가치에 따라 평가하거나 도구로 삼지 말라는 뜻이다.
여기서 주의할 점은 사람을 대함에 있어 편견을 버리고 인간에 대한 존엄성을 가져야 하지만, 모든 사람이 나의 친구나 연인이 될 자격이 있다는 의미는 아니다.
특히 '천박한 인품을 지닌 사람들'을 조심해야 한다.
천박한 인품의 소유자들은 자신이 상대하는 사람들 대부분을 수단으로 여긴다는 공통점이 있다. 더욱이 상대가 만만하게 보이면 - 달리 표현해 자신의 불순한 의도가 드러나도 상대가 보복하지 않으리란 확신이 들면 - 더욱 노골적으로 상대방을 기만하고 자신만의 이익을 챙기려 든다.

세상을 살아감에 있어 이러한 사람들과의 만남은 최대한 멀리해야 시간과 돈을 아끼고 육체적, 정신적 수고를 덜 수 있다.
이런 종류의 사람들을 판별하는 방법은 두 번 이상의 만남을 통해 그 사람의 언행, 관상, 주변의 평판, 공감 능력 등을 종합적으로 평가해야 하기에 쉬운 일이 아니다.
하지만 내 경험상 책(전자책, 웹툰 포함)을 멀리하고, 깊이 있는 사고를 싫어하며, 상대방에 대한 배려심이 없는 사람은 90% 이상 이런 유형의 사람들이라 해도 무리가 없을 것이다.
특히 함께 살아가는 가족이나 학교, 직장동료에 대한 배려심이 없는 사람은 '사회의 암적 존재'라 할 수 있으니 되도록 관계를 피하는 것이 상책이다.

여기서 판단에 왜곡을 가져올 수 있는 주의 사항이 하나 있으니 바로 '첫인상'이다. 특히 감성이 풍부한 청소년기엔 자신의 감성 코드와 부합하는 면이 많은 상대에게 강한 호감을 느끼게 되고, 반대의 경우 그저 스쳐 지나갈 사람으로 인식하기가 쉽다. 이런 '플라시보 효과'를 극복하기 위해선 무언가 결정을 내려야 하는 주요 포인트에서 '상대방 입장'이 되어 예전 상황을 전반적으로 되돌아보는 것이 좋은 훈련이 될 것이다.

사람은 정치인이나 세일즈맨이 아닌 이상 평생 삼백명 이상의 사람과 친밀한 관계를 유지하기 어렵다. 세상은 넓고 사람은 많다. 2050년이면 지구상에 존재하는 인류가 100억을 넘길 것이다. 평생을 통해 부모와 자식, 형제, 자매 관계가 아니면서 서로를 위해 목숨이 아깝지 않은 남자, 여자를 각 한 명 이상 얻게 된다면 너희의 인생은 성공한 것이다.

벗과의 관계를 표현한 한자 사자성어가 유독 많은데 공자의 이 말씀을 항상 가슴에 새기고 살아갔으면 한다.

二人同心 其利斷金이요, 同心之言 其臭如蘭이라. (金蘭之交)

두 사람이 마음을 하나로 하면 그 날카로움이 쇠를 끊고,
마음을 하나로 하여 말하면 그 향기가 난초와 같다.

2023. 07. 16

광화문 촛불집회에 참석하고서

- 대한민국의 역사적 전환 시점에 서 있는 자신을 보라!

2016년 丙申年이 두 病神년의 몰락과 함께 저물어 가고 있다.
너희들도 매주 토요일에 열리는 '광화문 촛불집회'에 참석했는지, 않았다면 참석 계획은 하고 있는지 궁금하구나.
아빠는 상여가 등장했던 11월12일 3차 촛불집회에 참석한 이후로 집에서 TV를 시청하면서 상황을 지켜보고 있단다.
행동하지 않는 양심은 죽은 것이다.
거대한 촛불의 행렬을 보면서 대한민국이 아직은 희망을 품어도 될 나의 조국이라고 느낀다.

현 최순실 국정농단의 뿌리는 우리나라의 광복과 건국 과정에서 매국노들과 이들의 기득권을 청산하지 못한 것에서 시작되었다고 생각한다. ('태백산맥'을 읽기 바란다)
이런 일련의 형성과 확대 과정은 투철한 역사의식 없이 '반공을 이용한 권력욕'에만 눈이 멀었던 이승만 초대 대통령과 이후 등장한 독재자 박정희가 있어 가능했다.

박정희는 군사쿠데타로 대통령이 되고서도 지역감정을 이용한 장기 집권, 유신헌법을 통한 영구집권 기도, 무엇보다 농민과 근로자의 희생을 기반으로 이루어진 경제성장의 과실을 자신의 부정 축재와 재벌을 비롯한 기득권세력의 배를 불리도록 국정의 우선순위를 두었다는 점에서 공보다 과가 매우 크다.
오늘날 눈부신 대한민국 경제성장을 마치 박정희가 이루어 낸 것처럼 개소리를 떠들어 대는 보수언론은 진실을 마주하면 침묵하거나 왜곡하는 특성이 있다. (특히 조선, 중앙, 동아 3대 재벌 신문은 대한민국 최대 암 덩어리다!)

아빠가 역사를 공부하면서 느낀 진리가 하나 있다면 역사는 되풀이되는 것 같지만 분명 진보하고 있다는 점이다. 역사의 씨줄과 날줄을 이루는 '물질'과 '정신'은 서로 조화와 대립 속에서 거대한 역사를 만들어 간다. 여기서 중요한 포인트는 시간이 지남에 따라 물질 가치는 변해가지만 '모든 인간은 인간답게 살아야 한다.'라고 믿는 인류의 기본적 정신 가치는 결단코 변하지 않는다는 점이다.

현 대한민국의 기득권세력인 박근혜 정부를 비롯한 새누리당(공화당에 뿌리를 둔 '보수'를 가장한 쓰레기 정당)과 검찰, 재벌과 십상시 같은 언론을 근본적으로 개혁하지 않으면 광화문의 촛불은 그들이 예측한 대로 "바람 불면 꺼지는 촛불"이 될 것이다.

개혁의 선결과제는 국민 의식 수준 향상과 이를 결과물로 도출해 낼 수 있는 선명한 정치세력이 굳건한 권력을 확보함에 있다고 본다. 덧붙여 정의를 위해 내부의 비리를 고발하는 용감한 '내부고발자들'에 대해 개인적 안위를 보장하는 사회적 보상 시스템이 마련되어야 할 것이다.

향후 정치 일정을 조심스럽게 예측해 본다면 탄핵은 헌법재판소에서 용인되어 박근혜는 물러나겠지만 경상도에 기반을 둔 새누리당의 쓰레기 친박과 그 나물에 그 밥인 비박계, 그리고 촛불 민심을 이용하려는(권력장악 수단으로 삼아 개인의 영달을 추구하려 하는) 야당 세력의 야합과 절충으로 박근혜, 김기춘, 우병우 등이 구속되고 부당이득의 환수 정도에서 수위가 결정되지 않을까 싶다.
우선 정권이 바뀌어야 검찰과 재벌, 언론에 대한 개혁이 이루어지겠지만 정권이 바뀐다 해도 지난 역사를 비춰볼 때 근본적인 개혁은 쉽지 않을 것이다. 국가(정치)란 권력을 차지하고 그 맛을 아는 기득권세력이 자신의 영달을 최우선 하면서 국민을 자신의 입맛대로 이끌어 나아가는 시스템이기 때문이다.

경기가 요즘 말이 아니다.
건강 잘 챙기고 자신의 자리에서 최선을 다하는 사람이 되길 바란다.

아빠도 경제적으로 어려움이 많지만 아껴 쓰면서 잘 대응해 나가고 있으니 걱정할 필요는 없단다.

할머니도 건강하게 잘 계신다. 시간 내어 전화로라도 안부를 여쭙는 것이 자식 된 도리라 생각하는데 너희들도 그렇게 생각하겠지?

2016. 12. 17 아빠가.

5.18 민주화운동 39주기 추모식을 보면서…

TV 생중계를 통해 문재인 대통령 내외와 각 부처 장관 그리고 여,야 정치인이 참석한 가운데 광주 망월동 5.18묘역에서 거행된 '5.18민주화운동 39주기 추모식'을 보면서 복받치는 설움과 분노를 억누르기 힘들었다.

39년 전(1980년) 그날 난 광주**고등학교 3학년에 재학 중인 고등학생이었다. 일 년 전 대한민국 독재자 박정희(일본 이름: 다카키 마사오)가 동료이자 5.16쿠데타 주역 중 한 사람인 김재규 중정부장의 총에 충견 차지철과 함께 사망하면서 시작되었던 '서울의 봄'은 5월17일 0시를 기해 전국에 내려진 비상계엄령과 함께 끝났다.

1979년 12.12 쿠데타를 통해 새로이 권력을 장악한 계엄사령관 전두환과 노태우, 정호용 등 육사 11기를 정점으로 하는 '하나회' 중심 신군부 세력들은 기획된 대로 최규하 대통령을 꼭두각시로 세워 둔 채 쿠데타 세력에 적극 협력하는 신현확 국무총리를 활용하여 국민 대다수가 열망하는 '민주화 요구'를 수용할 것처럼 시간을 끌면서 기만전술을 펼쳐나갔다.

다른 한편으로 보수 성향의 재벌언론과 군홧발에 굴복한 신문, 방송을 규합하여 '서울의 봄'이라 불리던 대한민국 국민의 민주화 열망을 '사회불안을 조성하고 경제를 망치며 북한의 남침을 돕는 이적행위'로 몰아붙이면서 일순간 전국에 비상계엄령을 내려 군부독재의 새로운 장을 열어젖힌 것이다. (계엄령이란 박정희 시절에 만들어진 초헌법적 제도로서 헌정질서를 중단시키고 계엄사령관이 모든 권력을 행사하는 군사정권의 여의봉과 같은 것이다)

갑작스러운 신군부의 비상계엄 선포는 박정희 18년 독재하에서 김영삼과 더불어 투쟁해 왔으며 그 결과 온갖 고초를 겪은 '김대중'을 향한 두 번째 사형선고로 받아들여졌고, 이에 광주와 전라도 지역의 좌절감과 울분은 다른 지역에 비해 월등히 높을 수밖에 없었다.

18일 아침 전남대 학생들의 계엄령 철폐를 요구하는 시위 진압에 투입된 공수특전여단 공수부대원들의 시위 진압은 예전 전투경찰의 시위 진압과는 전혀 차원이 다른 것이었다. 도로에서 무단으로 시내버스를 세우고 버스에 올라 젊은이로 보이는 사람들(대학생, 직장인을 가리지 않고 남, 여를 가리지 않았다)에게 무자비한 곤봉질을 가했다.

이를 지켜본 광주시민들은 내 자식 같은 젊은이들을 곤봉과

대검에 맞아 죽게 내버려 둘 수 없다는 공감대를 형성했고, 까까머리 고등학생과 버스와 택시 기사, 직장인, 일반주부에 이르기까지 거의 모든 70만 광주시민들의 자발적인 항쟁 참여를 이끌어 내게 된 것이다.

모든 공수여단 병력의 추가투입과 21일 도청 앞 시위대에 대한 조준 발포로 인해 시내 상황은 전쟁터를 방불케 하였고, 사상자의 급격한 증가와 “경상도 공수부대가 전라도 사람들 씨를 말리러 왔다”라는 출처 불명 유언비어까지 나돌면서 광주시민의 분노는 극에 달하게 되었다.

대한민국의 국민을 지켜야 할 대한민국 군인이 도리어 대한민국 국민을 살상하는 어이없는 상황에서 광주시민들은 급박하게 자위권의 필요성을 인식하게 되었고, 광주시와 전라남도 일원의 경찰서 무기고에서 카빈소총, 아시아자동차(현 기아자동차)에서 군납 대기 중이던 장갑차 등을 탈취하여 ‘시민군’으로 무장하게 되었다.

이에 사태의 심각성을 인지한 계엄군 지휘부가 22일부터 공수부대를 철수시키고 31사단 육군 병력을 중심으로 시 외곽을 차단하여 광주를 고립시키는 작전으로 전환함에 따라 27일 새벽까지 약 5일간의 대치 국면에 접어들게 되었다. (열차, 항공, 버스 운행은 전면 중단되었고, 광주의 주요 진입로마다 약 300미터 간격을 두고 탱크와 장갑차로 진을 친 계엄군과 버스

등으로 바리케이드를 설치한 시민군이 마주 보면서 밤에만 간간이 총성이 울리는 대치 상황이 전개되었다.)

광주의 이러한 심각한 상황은 광주시민과 인접한 전남지역 주민 이외에는 정부의 철저한 언론통제와 탄압으로 국내에는 일절 알려지지 않았고, 이에 성난 일부 시민이 계엄 정부의 앵무새 역할에 충실한 광주 MBC 방송국을 불태우는 사건이 발생했다. (방송국이 시민군에 넘어가 이용되는 상황을 막으려 잠입한 계엄군 프락치가 선동했다는 설도 있다) 당시 나는 계엄군이 통제하는 외곽지역에 부모님과 함께 살고 있어 시민군에 가담하지도 못했고, 시민군이 치안을 장악한 시내 지역의 상황에 대해서도 자세하게 알 수 없었다.

시민군과 계엄군이 대치하는 상황에서 광주시 지도급 인사들(수습위원회)은 극한 대치 상황을 순리대로 풀기 위해 계엄군사령관과 협상을 진행하였고, 이에 도청과 외곽으로 통하는 바리케이드에 주둔하는 '시민군' 이외의 시민들이 소지한 총기를 회수하였으며 원인과 책임소재를 떠나 비극적인 현 상황을 원만하게 해결하고자 하였다.

하지만 12.12 쿠데타의 주역 전두환과 신군부는 봉쇄 작전으로 광주를 지리적으로 고립시키고, 언론통제를 통해 광주의 진실이 외부로 알려지는 것을 철저히 막으면서, 한편으로 공중 살포 유인물과 시민들 사이에 잠입한 특수요원들을 통한 선무

공작에 주력했다.

그 결과 "미국이나 어떤 해외 국가도, 대한민국 내 어떤 다른 지역도 광주시민의 분노를 제대로 이해하고 도움의 손길을 내밀지 않으며, 고립된 광주는 탱크와 훈련된 군인들에 의해 수 일내 강제 진압될 것이고, 불의에 항거해 무기를 들었던 용기 있는 시민들은 간첩 내지는 공산 반란군으로 낙인찍혀 사형당할 것"이라는 인식이 시민 사이에 급속하게 확산하면서 모두가 버림받았다는 '비참함'과 '불안감'에 빠져들었다고 시내에 거주했던 같은 반 친구에게서 나중에 상황을 전해 들었다.

예상대로 27일 새벽 계엄군은 광주 시내로 진입해 '시민군'의 지휘 본부인 전남도청을 접수했고, 이로써 10일간의 '광주 5.18 민주화운동'은 막을 내렸다. 수백에 달하는 공식 사망자와 수천의 부상자 그리고 수십만의 시민들 가슴속에 '살아남은 자의 슬픔'과 '국가폭력 트라우마'를 심어 놓은 채…

"계엄군이 쳐들어오고 있습니다. 광주시민 여러분! 도청으로 나오셔서 우리 아들딸들을 지켜 주십시오" 지프차에 설치한 시민군 방송 스피커에서 울려 나오는 간절한 여학생의 새벽 외침과 "집 밖으로 절대 나오지 말라. 집 밖의 사람은 폭도로 간주하여 모두 사살한다"라는 계엄군의 헬기 방송을 동시에 들으며, 국가폭력에 대한 끓어오르는 분노 속에서도 선량한 시민들의 용기 있는 행동을 외면해야 했던 자신의 비겁함과 수

치스러움. 당시 광주시민 모두의 가슴에 트라우마로 깊이 새겨진 '살아남은 자의 슬픔'은 그날 그곳에 있었던 사람이 아니라면 그 누구도 공감하지 못하리라!

'승리한 자가 정의로운 자가 된다'라는 말처럼 광주 '5.18민주화운동'은 이후 "광주사태"로 불려 지면서, 북한이 침투시킨 불순분자(광수들)의 책동과 김대중에게 자금을 받은 전남대 총학생회장이 주도하여 일으킨 '대한민국 국기를 뒤흔든 내란사건'으로 규정되었다.

더불어 자신의 최대정적인 김대중의 이미지를 깎아내리기 위해 박정희가 조장한 호남 사람에 대한 비하에다 "전라도 사람은 빨갱이"라는 인식이 더해지면서 전라도 사람에 대한 국민의 멸시와 냉대는 더더욱 심해졌다.

12.12 쿠데타와 광주 5.18민주화운동을 무력 진압하여 '권력은 총구에서 나온다'라는 사실을 모든 국민에게 각인시키는데 성공한 전두환은 1980년 8월 기존 박정희가 만든 유신헌법에 따라 대통령에 단독 출마하여 이천오백 대의원이 모인 장충체육관에서 99.37%의 찬성으로 당선되어 11대 대통령이 되었다. 그리고 다음 해 헌법을 고쳐 또다시 7년 단임의 12대 체육관 대통령이 됨으로써 대한민국 '민주화'와 '정의'는 광주의 영령들과 함께 이 땅에 묻혔다.

1982년 군입대를 두어 달 남겨놓은 시점에 광주 시내에서 볼일을 본 다음 시내버스를 타고 집인 상무대 방향으로 돌아오고 있었다. 그런데 갑자기 경찰들이 시내버스를 대로변에서 좁은 도로로 몰아넣는 것이었다.

무슨 일인가 궁금해 뒷좌석 큰 창을 통해 대로를 바라보니, 20분 후 전두환이 검은색 벤츠 리무진 창문을 반쯤 내리고 미소 짓는 얼굴로 손까지 흔들면서 지나가는 것이 아닌가! 그때의 참담한 기분이란… 이후 며칠간 화가 치밀어 밤잠을 설쳐야만 했다.

1987년 '6.10 항쟁'으로 잠들어 있던 민주화가 다시 생명을 얻고 문민정부와 민주당 정권을 거치면서 '광주사태'는 '5.18 광주민주화운동'으로 바뀌어 광주시민들의 명예 회복과 희생자에 대한 물질적 보상이 이루어졌다.

하지만 자신의 사욕을 위해 민주주의를 외치는 무고한 시민들을 살육한 전두환과 함께 군사 반란을 주도하고 적극 협조해 온 공범들이 사죄는커녕 광주시민의 명예를 더럽히는 헛소리를 여전히 지껄이고 있으며, 독재자 박정희의 공화당에 뿌리를 둔 자유한국당 몇몇 국회의원들과 이를 정치적으로 이용하려는 세력들이 39년 전 주장을 여전히 되풀이하는 오늘의 현실을 볼 때 '5.18광주민주화운동'은 아직 끝나지 않았다는 생각이 든다. 광복 74년이 지난 오늘날까지 일제의 한반도 강점과 독도, 위안부, 징용 등 현안들에 대해 사죄는커녕 억지 주장을 되풀이하는 일본 정부와 이들의 행태가 무엇이 다르다고 할 수 있을까?

아직도 일제 앞잡이 매국노 후손들이 우리 사회의 기득권층을 형성하고 있고, "한국 사람은 몽둥이가 약 이다"는 식민사관과 "박정희, 전두환 군사정권이 조금 잘못한 점이 있지만, 우리나라 경제를 이렇게 발전 시켜놓지 않았느냐"고 믿고 말하는 수많은 이들이 이 땅에 존재하는 한 대한민국에서 정의가 제대로 실현되기는 어려울 것이다. 우리 모든 국민이 피땀 흘려 이룩한 경제발전의 과실이 일제 앞잡이와 독재 권력의 하수인이었던 소수의 이들 기득권층에게 돌아가는 현실 속에서 '한강의 기적'이 무슨 의미가 있단 말인가?

하지만 난 믿고 싶다. 우리 민족의 우수성을, 우리 민족의 정의감과 근면함을, 그리고 한국 어머니들의 핏줄에 한정된 유별난 내리사랑이 모든 인류에 대한 사랑으로 승화되어 가는 기적이 점진적으로 이루어지고 있음을.

그리하여 언젠가는 진짜 정의로운 사회가 반드시 도래할 것임을.

2019. 5. 18.

제9화 짧은 생각

a. 균등과 평등

b. 오월에

c. 정의로운 승리자

d. 남자의 일생

e. 도전의 힘

f. 정신장애

g. 마의 산(토마스 만)

h. 노자 인간관계론

I. 사람들이 흔히 저지르는 6가지 실수

균등과 평등

문재인 전 대통령이 재임 중 하신 말 중에 이런 말이 있다.
“기회는 균등하고, 과정은 공정하며, 결과는 정의로워야 합니다.”
한국 사회를 청정하고 행복하게 만들어 줄 것 같은
아름다운 말이었다.

하지만 현실은 그렇지 못했다.
현실정치와 이상의 괴리는 분명 존재하건만
현실을 너무 긍정적으로 바라보았고, 알맹이 없는 검찰개혁을
임기 내로 서두른 결과가 아닌가 싶다.

이제 당당히 ‘권력의 시녀’에서 ‘권력의 주체’로 올라선 검찰은
시녀 시절 모시던 군인들에게서 배운 못된 짓을 넘어,
‘검찰 가족’과 ‘그 밖의 국민’이라는 이중 잣대로
국민이 부여한 법치 공권력을 오남용하고 있다.
이 또한 문 전 대통령이 빌미를 제공했음은 주지의 사실이다.

'균등'이란 사전적 의미로
'고르고 가지런하여 차별이 없음'을 뜻한다.
얼핏 봐서는 평등과 뜻이 같다고 생각할 수 있지만
차이가 있다.
약자에게 유리함을 부여하는 것을 '상대적 평등'이라 한다면
'균등'은 한 걸음 더 나아가 절대적으로 같게 하는 것을 의미한다. 개인 생각으로 다소 사회주의적 발상이 아닌가 싶다.

결과적으로 민주주의와 사회적 약자에 대한 배려가
역주행하는 현재 대한민국 상황을 안타깝게 지켜보면서,
문 전 대통령 말씀을 나름 이렇게 고쳐보았다.

"기회가 평등하고 과정이 공정해야만
자본주의가 갖는 태생적 한계를 극복하고
정의 사회로 가는 첫 관문을 열 수 있습니다."

오월에

오월은 기념일이 참으로 많다.
1일 노동절(근로자의 날)을 필두로 5일은 어린이날, 8일은 어버이날, 15일은 스승의 날이자 성년의 날이다.
16일은 한때 혁명일로 불렸던 박정희 군사반란일이고, 18일은 내 삶에 변곡점이 된 '5.18 광주 민주 항쟁' 기념일이다.

1979년 10월 독재자 박정희의 갑작스러운 죽음으로 인해 절대 권력의 공백이 발생하였다. 이를 기회 삼아 보안사령관 전두환과 정치군인 사조직 '하나회'가 박정희 '쿠데타 성공 교범'에 따라 일으킨 '12.12 군사 반란'의 성공은 이러한 공백을 메꾸면서, 힘겹게 나아가던 우리나라 민주주의가 18년 전 과거로 되돌아가는 불행과 이에 따른 고통을 모든 국민이 겪도록 만들었다.
파렴치한 그들은 그들의 집권 시나리오에 걸림돌이 된 광주시민을 학살 함으로써 "권력은 총구에서 나오고, 승리한 자가 정의로운 자"라는 더러운 트라우마를 국민 모두에게 각인시켰다.
그들이 저지른 '구국의 결단'에 구린 구석이 얼마나 많았으면 기존 '공화당'을 모태로 급조한 그들의 정당명을 '민주 정의당'

이라 칭했겠는가?

민의가 제대로 반영될 수 없는 간접 선거(체육관 선거)를 통해 11대, 12대 대통령을 역임하고, 8년을 집권하는 동안 대기업들로부터 수천억의 뇌물을 챙겨 세 아들을 준재벌로 만들어 주었으며, '장영자 어음 사기 사건', 동생 전경환의 '새마을 운동협회' 횡령 사건에 관여하는 등 오욕의 91년 삶을 살아간 전두환이 867억 법정 추징금을 미납한 채 2021년 자연사했다. 그가 대통령이 되고자 저지른 짓으로 인해 직접 피해를 당한 광주시민을 비롯해 삼청교육대, 형제복지원 사건 등으로 피해당한 국민에게 사죄할 기회가 여러 번 있었음에도 불구하고, 오히려 그는 죽는 날까지 자신을 정당화하는 데에만 급급했다.

인간의 잘못된 행위는 무지에서 오는 경우가 많다.
'용서받을 수 없는 나쁜 짓거리'는 잘못된 행위임을 알고 있으면서도 자신의 영달을 위해 저지르거나, 잘못을 옳음으로 오인하고도 아무 검증 없이 이를 신념으로 승화시키고 행동으로 보여주는 짓이다.

오늘날 주변을 보면 입으로 '법치주의'를 떠벌리면서 '성공한 쿠데타는 처벌할 수 없다'라는 말을 아무렇지 않게 내뱉는 사람들을 볼 때면 기가 찰 노릇이다. '죄인은 반드시 죄에 상응

하는 처벌을 받는다'하는 것이 법치주의의 기본이다. 하지만 법은 힘 있는 자들의 '도깨비방망이'였음 또한 사실이다.
이제 법치국가 대한민국은 '권력의 시녀'였던 검찰이 당당히 '권력의 주체'로서 국민이 위임한 '공권력'이란 막강한 칼을 휘두르는 나라가 되었다.

미세먼지로 인해 뿌옇게 변한 하늘을 바라보며 "어제의 범죄를 벌하지 않는 것, 그것은 내일의 범죄에게 용기를 주는 것과 똑같은 어리석은 짓이다."라는 알베르 카뮈의 말이 새삼스럽게 다가오는 건 나만의 느낌일까?

정의로운 승리자

요즈음 농촌의 마을회관이나 노인회관에 가보면 동네 어르신들이 삼삼오오 모여 앉아 밖의 겨울 추위와는 사뭇 다른 따뜻한 이웃의 정을 나누고 있는 모습을 종종 보게 된다.

이런 여유로운 풍경에도 부지런히 움직이는 분들이 있으니 바로 6.13 지방선거에 출마하고자 준비하고 있는 출마예정자들이다.
특히 현역 시, 도의원이 아닌 출마예정자들은 본인의 얼굴과 이름을 알리기 위해 단순한 악수나 인사가 아닌 공직선거법상 불법행위인 명함 돌리기를 시도하는 모습을 보이기도 해 '공정선거지원단' 단원의 제지를 받기도 한다.

"정의(선함)는 불의(악함)를 이기고 반드시 승리한다"라는 격언을 우리는 어린 시절부터 동화나 선생님을 통해 '해는 동쪽에서 떠서 서쪽으로 진다'하는 사실처럼 진리라 믿어왔다.
그러나 어른이 되어가면서 정의가 반드시 승리하는 것은 아니며, 때론 '승리한 자가 정의로운 자'로 탈바꿈하는 모습을 지켜보며 이러한 혼란스러운 상황을 어떻게 받아들여야 할지 당황스럽기도 하였다.

흔히들 민주주의는 현재 지구상에 존재하는 인류가 고안한 가장 합리적인 정치제도이며, 민주주의의 꽃(핵심)은 선거라고 말한다.

문제는 우리나라 선거사례를 되짚어 볼 때 공정하고 합법적인 경쟁 과정을 지키는 정의로운 후보자가 당선되기 어려운 선거 풍토가 현존하고 있다는 사실이다.
특히 '구, 시, 군의원 선거'의 경우 대상 지역이 협소하고 투표인 수가 적어 학연, 혈연, 친목 단체 등 개인적 유대관계가 당락에 결정적인 영향을 미치는 경우를 종종 볼 수 있었다.

지난 여섯 번의 지방선거와 수십 차례 대선, 총선을 치르는 동안 우리 국민의 선거 의식은 경제적 성장만큼 성숙 되어져 왔다. 대한민국은 과거 일본의 식민 지배와 한국전쟁이란 동족상잔의 비극을 극복해 내고 세계에서 열 손가락 안에 드는 경제력을 가진 나라로 성장시킨 자랑스러운 형제, 자매들이 함께 살아가는 나라이다.

오는 6월 13일에 있을 일곱 번째 지방일꾼을 뽑는 지방선거 운동회는 이런 운동회가 되었으면 하는 간절한 기대를 해본다.

모든 주민이 지켜보는 가운데 기울어지지 않은 운동장에 똑같은 출발선에 서서 결승점을 바라보며 경주를 준비하는 후보자들.
출발신호보다 빨리 출발하거나 다른 후보자를 방해하거나 그어진 선을 벗어나 지름길로 뛰어가는 반칙을 하지 않고 최선을 다해 전력 질주하는 후보자들.

만에 하나 반칙하는 후보자가 있다면 주민들 모두가 심판이 되어 그 반칙한 후보자를 탈락시키는 그런 지방선거 운동회가 열리길 바란다.

그래서 정정당당하게 최선을 다하고 모든 후보자와 주민들로부터 마음에서 우러나오는 축하와 존경을 받는 '정의로운 승리자'가 당선되는 모습을 기대해 본다.

(2018. 2. 27일자 '보령신문'에 기고한 글)

남자의 일생

남자는 오십을 넘겨야 '철(哲)'이 든다고 한다.

그리고 육십세를 넘어서면 '가방끈 길이'에서 오는
차이는 사라진다.

칠십을 넘기면 누구도 '정력'의 강함을 자랑하지 못하고,

팔십이 넘어가면 '재산'의 많고 적음이 무의미하다고 한다.

구십을 넘겨 살면 '살아있음'과 '죽음'이
별반 다르지 않다고 하니

남자의 인생 후반부는 **'나만의 인생철학'**과 **'건강'**이
좌우하는 게 아닐까.

어느 날 내 곁에 서 있는 이들의 존재가 어렴풋이 느껴졌다.
손톱처럼 자라나 이제는 강인하게 자리 잡은 이들 모습이
문득 놀랍고 든든하기만 하다.

그래! 남자의 인생이란 이런 것이다.

도전의 힘

어떤 업종에 소속된 기업 모두가 가진 마나(기업의 인적, 물적 능력을 계량화한 것) 의 합이 200이고, 이 마나를 나누어 가진 소수의 과점기업과 다수의 소기업이 존재한다고 가정해 보자.

그리고 1위 기업은 100 마나(50%)를 가진 'A 기업'이고, 2위는 50 마나(25%)를 가진 'B 기업'이며, 3위는 30 마나(15%)를 가진 'C 기업'이 있다고 가정하자.
(1~3위 기업이 과점을 형성한 과점체계 업종이며, 나머지 20 마나를 나누어 가진 기업들은 미미한 존재로 거론치 않는다)

어느 날 이 업종 기업들에 특별한 기회(게임)가 주어지는데
게임의 규칙은 각 참가자가 동등하게 마나를 걸고서 게임에
참가할 수 있으며,
현대 자본주의 핵심인 '승자독식 원리'를 따른다고 가정할 때
결과는 어떻게 될까?

결론적으로 말하면 3위 'C 기업'이 2위나 1위로 올라설 확률이 높다.

왜 그럴까?

A, B 두 기업은 두 기업이 합친 마나가 전체 마나에 75%에 달하는 막강한 시장지배력을 가진 과점 기업으로서 도전자의 도전을 무력하게 만들고 자신의 우월한 위치를 고수하기 위한 보수적 전략을 선택하기 쉽다.
반면 3위 'C 기업'은 2위나 1위로 도약하는 절호의 기회로 받아들이기에 과감한 도전을 시도 할 것으로 보인다.

먼저 이 업종에서 각 기업당 30 마나를 걸고 승자독식 게임을 진행한다고 가정했을 때 '참가 여부'를 추론해 보자.
4위 이하 기업들은 마나가 부족해 도전할 수 없다.
3위 'C 기업'은 미래가 걸린 최고의 기회라 판단해 기업이 가진 30마나 전부를 걸고 참가한다.
50 마나를 가진 2위 'B 기업'은 1위와 2위만이 참가하는 상황을 가정하고 1위 기업에 패해 30 마나를 잃을 경우, 현재 자신이 갖고 있는 마나 60%를 상실하고 3위로 기업순위가 추락하는 위험 부담으로 인해 이 게임에 참가하는 모험을 감행하지 않을 것이다.
1위 'A 기업'은 업계 선두라는 이미지를 고수하기 위해서, 그리고 2위 이하 약한 기업들이 참가하더라도 최강 'A 기업'이 승리할 확률이 높다고 판단해 게임 참가로 의사결정을 한다.

또한 승리 시 누리게 될 '독점적 시장지배력'이란 장점도 상당한 매력으로 작용할 것이다.

이제 '게임 진행 과정'과 '승부 결과'를 추론해 보자.
먼저 게임 테이블 위에 올려진 마나가 100:30이 아니라 30:30이란 점을 기억해야 한다.
3위 'C 기업'의 게임참가자(책임자)들은 사운이 걸린 이 게임에 배수의 진을 치고 결사적으로 게임에 임하게 된다.
1위 'A 기업'은 쉬운 승부가 되리란 처음 예상과 달리 아슬아슬한 승부 상황이 펼쳐지고, 돌발상황에 대한 대응에서 허점이 드러나면 책임을 다른 이에게 떠넘기는 책임회피와 내분이 발생하기 쉽다. 이러한 내분은 게임 시간이 길어지고 치열해질수록 증가할 것이다. 이에 더해 약자를 응원하는 인간의 '사회적 본능'이 약자인 'C 기업'에 힘을 실어줄 것이다.

결국 배수의 진을 친 3위 'C 기업'이 승리하게 되고, 3위 'C 기업'은 60 마나를 가진 2위 기업으로 올라서게 되며, 이러한 자신감(추세의 힘)을 바탕으로 게임 후 마나가 100에서 70으로 줄어든 1위 'A 기업'을 조만간 추월할 가능성이 매우 높다.

이것이 이기적 사고능력을 가진 '유기 생명체의 본질'이며 '자본주의의 핵심'이다.

【 우리는 신체장애인을 보호하고 배려하는 사회 속에서 살고 있다. 하지만 눈에 보이는 신체장애에 비해 잘 드러나지 않는 가벼운 '정신장애'는 진단하기 어려울뿐더러,
이의 심각성을 간과하여 사회적 배려와 도움 역시 부족하다.
이제는 '정신장애' 유형이해를 통한 사회적 관심과 국가가 나서 주요 정책과제로 추진하는 것이 사회 안전망 강화 차원에서도 매우 필요한 시점이라 생각한다. 】

《 정신장애 유형별 요약 》

1. 의식장애

1)주의력 장애 : ①주의산만

2)의식의 혼탁 : ①착란(즉각적으로 인식 못함)

②섬망(제대로 인식 못함)

③혼미(운동능력 상실)

④혼수(심폐기능만 유지)

2. 행동장애

1)행동증가(조증)　　2)행동감퇴(우울증)　　3)반복행동

4)강박행동　　5)공격성

3. 지각장애

1)착각 : 외부감각을 잘못 인식

2)환각 : 외부 자극이 아닌 내부 느낌을 자극으로 받아들임

4. 언어장애

1)언어압박 : 말이 빠르고 중단하기 어려움(조증)

2)다변증 : 말이 많고 논리적이지 못함

3)언어빈곤 : 말과 어휘력 감소(지능장애, 치매)

4)실어증 : 말이 없음

5. 사고장애

1)사고형태장애 : ①체계적 사고장애

②구체적 사고장애(의미, 뉘앙스 이해 불가)

2)사고과정장애 : ①사고비약　　②사고지체

③우울증(사고비약보다 일관성 있음)

④지리멸렬(횡설수설)

3)사고내용장애 : ①사고경향(망상보다 약함)
②망상(피해망상, 과대망상)
③강박사고(강박행동과 더불어 발생.
생각하지 않으려 해도 자꾸 생각남)

6. 감정장애

1)기분장애 : ①고양된 기분(조증) ②우울증

2)정동장애 : ①불충분한 정동(유쾌, 불쾌 표현 미숙)
②부적절한 정동(상갓집에서 웃기)

7. 지남력장애

: 주변 환경을 있는 그대로 파악하지 못함(시간, 장소, 사람)

8. 기억장애

1)기억항진 : 특정사건(특히 나쁜)을 지나치게 기억

2)기억상실 : ①기질적 상실(생물학적 손상으로 인한)
②심인성 상실(자신을 보호하기 위한)

3)기억착오 : 없었던 일을 사실로 기억(거짓기억)

4)기시감 : 낯선것을 본듯이 느낌

5)미시감 : 예전부터 알던것이 생소하게 느껴짐

9. 지능장애

1)지능장애 : 유전적, 선천적, 발육과정

(아이큐어 70이하 지능)

2)치매 : 후천적 뇌기능 장애. 비가역적

10. 통찰력, 병식장애

1)지적병식 : 알고 있으나 노력 않함

2)진정한병식 : 알고 있으며 노력하나 치유 불가

'죽음에 이르는 병'은 어디에서 유래할까?
그것은 살 수도 없고, 그렇다고 죽을 수도 없는
인간의 처참한 운명에서 유래한다.
삶과 죽음 사이를 오가는 그 병은 영원히 구원될 수 없는
정신의 병이다.

- 키에르케고르 -

“마의 산”(토마스 만) 발췌 글모음

【 시간, 공간 】

● 공간의 끝없는 단조로움 속에서는 시간이 없어져 버리고, 가도 가도 똑같다면 한 점에서 다른 점으로의 움직임은 더 이상 움직임이 아니며, 움직임이 움직임이 아닌 곳에서는 시간도 존재하지 않는 것이다.

● 공간도 시간과 마찬가지로 망각의 힘을 지닌다. 공간은 고루한 사람이나 속물조차도 잠깐 사이에 방랑자 같은 인간으로 바꾸어 버린다. 그리고 그 효력은 시간만큼 철저하지는 못하지만, 시간의 효력보다 더 빠르게 나타난다.

● 시간에는 결코 ‘사실’이라는 것이 없어. 시간이란 길다고 생각하면 길고, 짧다고 생각하면 짧은 거야. 그러나 실제로 얼마나 길고 짧은지는 아무도 모르는 거지.

● 시간이란 운동이야. 그러므로 우리는 시간을 공간으로 재는 거야. 하지만 이것은 공간을 시간으로 재려고 하는 것이나 마찬가지야.
시간 측정이 가능하려면 시간이 균등하게 흘러가야 하지.
하지만 우리 의식에서, 시간은 결코 균등하게 흘러가지
않아. 따라서 우리의 시간 단위는 단지 약속이나 관습에
불과한 거야.

● 공허하고 단조로운 것은 한순간과 한 시간 등의 흐름을
잡아 늘여 지루하게 할지 모르나,
엄청나게 커다란 시간 단위일 경우에는 이것을
짧게 하고, 심지어 무와 같은 것으로 사라지게 한다.

● 시간이란 수수께끼이다.
현상계에 존재하는 하나의 조건으로 공간 속 물체의 존재와
그 물체의 운동과 결부되고 혼합 되어있는
하나의 운동인 것이다.
시간은 활동적이고 동사적인 속성을 지니고 있으며
그것은 무엇인가를 야기한다.

● '유익한 시간'과 '제한된 공간'이라는 것은 아무리
필사적으로 노력해도 상상할 수 없는 것이므로,

우리는 시간은 영원하고 공간은 무한하다고 생각하기로
이미 결정을 보았다.
그러나 영원한 것과 무한한 것을 인정한다는 것은
한정된 것과 유한한 것을 논리적으로나 계산적으로
부정하고, 상대적으로 그것을 영으로 환원시키는 것을
의미하는 것이 아닐까?
영원한 것과 무한한 것이라는 잠정적인 가정과,
거리와 운동, 변화, 그리고 우주 속의 한정된 물체들의
존재와 같은 개념들이 어떻게 조화를 이룰 수 있을까?

● 여행이란 막간극을 통한 시간 감각의 쇄신은 이후에도
효력이 남아, 일상생활로 다시 돌아가게 되면
더욱 새롭게 효력을 발휘한다.
하지만 이런 효력은 며칠뿐이다.

【 병, 죽음 】

● 인간의 육체야말로 병독에 시달리고 있지만,
참된 인간은 정신을 건강하고도 순결하게 유지할 수 있다.
인체는 신이 계시는 참된 신전이다.

● 병은 굴욕을 의미합니다.

인간이라는 이념을 훼손하는 고통스러운 굴욕을
의미합니다. 비극은 고상하고 삶의 의지가 있는 정신을
자연이 삶에 쓸모없는 육체와 결합하면서,
인격의 조화를 파괴하거나
처음부터 불가능하게 만들 때 시작된다.

● 죽음에는 경건하고 명상적이며 슬프도록 아름다운 속성,
즉 종교적인 속성이 있지만, 이와 동시에 전혀 다른,
이와는 반대되는 속성, 즉 지극히 육체적이고 물질적인
속성도 있는 것이다.
이것은 아름답지도 명상적이지도 경건하지도 않으며
단지 슬프다고 말할 수밖에 없는 속성이다.

● 죽어있는 생활이란 시간을 망각한 생활,
아무런 걱정도 희망도 없는 생활,
겉으로는 분주한 것 같지만
속으로는 정체 되어있는 무절제한 생활인 것이다.

● 나는 나의 생각에 대한 지배권을 죽음에게
양보하지 않으리라!
착한 마음씨와 인간애가 그것을 의미하며,

다른 어느 것도 그것을 의미하지 않기 때문이지.
죽음은 위대한 힘이다.
인간은 선과 사랑을 위해 결코 죽음에다
자기 사고의 지배권을 내어 주어서는 안 된다.

● 이성은 죽음 앞에서는 어리석은 존재에 불과하다.
왜냐하면 이성이란 덕에 지나지 않지만,
죽음은 자유와 방종, 모험, 무형식, 쾌락이기 때문이다.
이성이 아니라 사랑만이 죽음보다 더 강한 것이다.
이성이 아니라 사랑만이 선량한 생각을 갖게 한다.

● 죽음의 모험은 삶 속에 포함되며,
그런 모험이 없는 삶이라면 이미 삶이 아닐 거야.

● 우리가 살아있는 한 죽음은 존재하지 않으며,
죽음이 찾아오면 우리가 존재하지 않는 것이다.
따라서 우리와 죽음 사이에는 어떠한 현실적인 관계도
존재하지 않는다.
그리고 죽음은 우리와 아무런 관련이 없으며,
기껏해야 우주와 자연과 어느 정도 관계할 뿐이다.
그 때문에 모든 생물체는 죽음을 아주 태연하게, 무관심
하게, 무책임하게, 이기적인 순진함으로 바라보는 것이다.

노자 인간관계론 (도덕경)

첫째, 진실함이 없는 말을 늘어놓지 말라.

남의 비위를 맞추거나, 사람을 추켜세우거나,
머지않아 밝혀질 감언이설로 회유하면서
그런 재주로 인생을 살아가려는 사람이 너무 많다.
그러나 이런 사람은 언젠가 신뢰를 잃게 되어
정상적인 인간관계를 할 수 없게 된다.

둘째, 말 많음을 삼가라.

말은 없는 편이 차라리 낫다.
말없이 성의를 보이는 것이 오히려 신뢰하게 된다.
말보다 태도로써 나타내 보여야 한다.

셋째, 아는체하지 말라.

아무리 많이 알고 있더라도 너무 아는체하기보다는
잠자코 있는 것이 낫다.
지혜 있는 자는 지식이 있더라도
이를 남에게 나타내려 하지 않는 법이다.

넷째, 돈에 너무 집착하지 말라.

돈은 인생의 윤활유로서는 필요한 것이나,
돈에 집착하여 돈의 노예가 되는 것은 안타까운 노릇이다.

다섯째, 다투지 말라.

남과 다툰다는 것은 손해다.
어떠한 일에도 유연하게 대처해야 한다.
자기주장을 밀고 나가려는 사람은 이익보다
손해를 많이 보는데,
이는 다투어서 적을 만들기 때문이다.

< 사람들이 끝없이 되풀이하는 6가지 실수 >

1. 다른 사람을 짓밟아야 자신에게 이득이 생긴다고 믿는 것.

2. 변할 수도 고쳐질 수도 없는 일을 걱정하는 것.

3. 자신이 성취할 수 없다는 이유로 불가능하다고 우기는 것.

4. 별것 아닌 것에 끌리는 마음을 접지 않는 것.

5. 마음을 발전시키고 다듬기를 게을리하는 것.

6. 다른 사람에게 자신의 생각을 믿고
그에 따라 살도록 강요하는 것.

- 퍼온 글 -

제10화 명언 보석함

A. 뚜껑

B. 시간

C. 인생

D. 성공

E. 행복

F. 인격, 습관

G. 사랑, 우정, 가족

H. 공정, 희생

I. 역사, 철학

J. 니체와 나

A. 뚜껑

도덕적 올바름의 지침서가 되는 대표적인 것으로
성서나 불경, 사서삼경 등을 꼽을 수 있다.
이것은 선과 악의 기준, 인간으로서 마땅히 지켜야 할
기준들을 제시해 주기 때문이다.
종교적 보편기준을 넘어 성취를 이룬 사람들의
깊고 명쾌한 말 속에
우리 삶을 풍요롭게 해주는 조미료가 들어있다.
짧은 글이지만 삶 속 체험을 통해 우러나온 감동을
담고 있어 우리는 이를 '명언'이라 부른다.
명언이 내 삶에서 보석으로 빛나기 위해서는
가까이 두고, 자주 읽으며, 이를 실천하고자 하는
용기가 필요하다.
내 마음속 차곡차곡 쌓여있던 '명언'들을
'나의 보석함'에서 꺼내어 정리해 보았다.

B. 시간

1. *뒤로 미루는 것은 시간을 훔치는 것*이다.

- 에드워드 영

2. 나는 결코 *과거를 돌아보며 시간을 낭비하지 않는다.*

- 프랭클린 루스벨트

3. 아마도 대부분의 사람에 있어 *가장 행복한 시기는 중년*일 것이다. 젊은이의 뜨거운 열정이 식고 노년의 병약함도 아직 시작하지 않았을 때다. 사람들이 알고 있는 것처럼 *그림자는 아침과 저녁에는 아주 크지만 대낮에는 거의 사라진다.*

- 프랭클린 루스벨트

4. *마음 편하게 기다리는 사람*은 기다림에 지치지 않는다.

- 프랑스 속담

5. *현재 속에 존재한다*는 것은 *잡념을 없앤다*는 뜻이다. 그것은 바로 *지금 중요한 것에 관심을 쏟는다*는 것이다.

- 스펜서 존스

6. *'나중에'라는 길*을 통해서는 이르고자 하는 곳에 결코 이를 수 없다.

- 스페인 격언

7. *낭비한 시간에 대한 후회*는 *더 큰 시간 낭비*이다.

- 메이슨 쿨리

8. 희망과 근심, 공포와 불안 가운데 그대 앞에 빛나고 있는

하루하루를 *마지막이라고 생각하라.*

그러면 *예측할 수 없는 시간*은 그대에게

*더 많은 시간*을 줄 것이다.

- 호레스

9. *가장 바쁜 사람*이 *가장 많은 시간*을 가진다.

*부지런히 노력하는 사람*이 결국 *많은 대가*를 얻는다.

- 알렉산드리아 피네

10. *미래*에 사로잡혀 있으면 *현재*를 있는 그대로 볼 수

없을 뿐 아니라 *과거*까지 재구성하려 들게 된다.

- 에릭 호피

11. 세상에서 중요한 세 가지 금이 있는데

*황금, 소금, 지금*이라고 합니다.

- 무명씨

12. 아무도 과거로 돌아가 새 출발을 할 순 없지만,

누구나 *지금 시작해 새로운 결실을 만들 수 있다.*

- 카를 바르트

13. 진정한 생활은 현재뿐이다.

따라서 *현재의 이 순간*을 최선으로 살려는 일에

온 정신력을 기울여 노력해야 한다.

- 레프 톨스토이

14. *하루하루*를 자기 인생의 *마지막 날 같이 살아라.*

언젠가는 그날들 가운데 *진짜 마지막 날*이 있을 테니까.

- 레오 부스칼리아

15. *청춘*은 다시 돌아오지 않고 하루에 *새벽*은 한번 뿐이다.

좋은 때에 부지런히 힘쓸지니

세월은 사람을 기다리지 않는다.

- 도연명

16. 과거를 *애절하게 들여다보지 마라*. 다시 오지 않는다.

현재를 *현명하게 개선하라*. 너의 것이니.

어렴풋한 미래를 *나아가 맞으라*. 두려움 없이.

- 헨리 워즈워스 롱 펠로우

17. *과거*로 돌아가서 시작을 바꿀 수는 없다.

하지만 *지금부터 시작해 미래의 결과를 바꿀 수는 있다.*

- 클라이브 루이스

18. 시간은 인간이 쓸 수 있는 것 중에서 *가장 소중한 것*이다.

- 디오게네스

19. 화가 날 때는 *10까지* 세어라.

화가 너무 많이 날 때는 *100까지* 세어라.

- 토머스 제퍼슨

20. 시간은 *모든 상처의 약이다.*

- 윌리엄 셰익스피어

21. *미래를 예측하려고 하는 것*은 밤중에 시골길을

전조등도 켜지 않고 달리면서

뒷 창문으로 밖을 보려는 것이나 다름없다.

- 피터 드러커

22. 아무리 *하찮은 현재*일지라도 가장 의미가 있었던

과거보다 낫고, 비록 *보잘것없는 것*일지라도

아무것도 없는 것보다 낫다.

- 쇼펜하우어

23. 순간의 *소중함*은 그것이 *추억이 되기 전까지는*

절대 알 수 없다.

- 닥터 수스

24. *내 바늘이 드리우는 그림자*가 미래와 과거를 나눈다.

아직 오지 않은 미래는 어두움 속

당신의 능력이 미치지 않는 곳에 서 있다.

그리고 돌아오지 않는 선 뒤로 사라진 과거는

더 이상 당신의 것이 아니다.

단지 *하나의 시간만*이 당신 손안에 *지금 있다.*

현재란 바로 *그림자가 멈춘 그곳*이다.

- 영국 옥스퍼드대학 '해시계'에 새겨진 문구

C. 인생

1. 청춘은 인생의 한 시기가 아니라 *마음의 상태*일 뿐이다.

- 사무엘 울만

2. 좋은 사람의 삶은 사소하고 세상에 알려지지 않았거나

*잊혀진 친절과 사랑의 행동들*로 대부분 채워진다.

- 윌리엄 워즈워드

3. 인생에 대해서는 *분명하고 단호한 신념*을 가지는 것이 필요하다.

- 버트런트 러셀

4. 인생은 흘러가는 것이 아니라 *채워지는 것*이다.

우리는 하루하루를 보내는 것이 아니라

내가 가진 무엇으로 채워가는 것이다.

- 존 러스킨

5. 인생*이 끝날까 두려워하지 말라.*

당신의 인생이 *시작조차 하지 않을 수 있음을 두려워 하라.*

- 그레이스 한센

6. 삶*이 있는 한 희망은 있다.*

- 키케로

7. 유머 감각*이 없는 사람은 스프링이 없는 마차와 같다.*

길 위의 모든 조약돌에 부딪힐 때마다 삐걱거린다.

- 헨리 워드 비처

8. 누구나 한때는 *어른이 되는 법*을 배워야 했다.

아마 지금은 *어떻게 늙어가야 할지를 배워야 할 시기*인지도 모른다.

그것도 평생의 규범으로서.

- 로널드 블라이드

9. *시련이 없다는 것은 축복받은 적이 없다는 것이다.*

- 에드거 앨런 포

10. 노년*은 청춘에 못지않은 좋은 기회다.*

- 헨리 워즈워드 롱펠로

11. 어려울 때 *우리는 가장 많이 성장한다*는 것을 기억하라.

- 조지 워싱턴

12. *명확한 목적이 있는 사람*은 가장 험난한 길에서조차

앞으로 *나아가고,*

*아무런 목적이 없는 사람*은 가장 순탄한 길에서조차

앞으로 *나아가지 못한다.*

- 토머스 칼라일

13. 세상에서 *가장 아름답고 소중한 것*은 보이거나 만져지지 않는다.

단지 가슴으로만 느낄 수 있다.

- 헬렌 켈러

14. *세상에서 가장 어려운 일*은 세상을 바꾸는 것이 아니라,

당신 자신을 바꾸는 것이다.

- 넬슨 만델라

15. *노령에 활기*를 주는 진정한 방법은

*마음의 청춘을 연장하는 것*이다.

- 콜린스

16. *자신의 과거에 대한 기억*을 즐길 수 있는 것은

*인생을 두 번 사는 것*이다.

- 마르티얼

17. 화를 내면 주위의 사람들은 많은 상처를 입는다.

그러나 그것보다 *더 큰 상처를 입는 사람*은

바로 *화를 내는 당사자이다.*

- 레프 톨스토이

18. 작은 변화가 일어날 때 *진정한 삶을 살게 된다.*

- 레프 톨스토이

19. 당신은 *나이만큼* 늙는 것이 아니라

당신의 *생각만큼* 늙는 것이다.

- 조지 번스

20. 당신이 할 수 있는 *가장 큰 모험*은

당신이 꿈꾸는 삶을 사는 것이다.

- 오프라 윈프리

21. *비참해지는 비결*은 자신이 행복한지 아닌지에 대해

*고민할 여유를 갖는 것*이다.

- 조지 버나드 쇼

22. 부모가 자녀의 인생에 남겨줄 수 있는

*최고의 유산*은 *좋은 습관*이다.

그리고 그 못지않게 중요하고 강력한 것이 하나 더 있다면

그것은 아마도 *따뜻한 추억*일 것이다.

- 존 스미스

23. *다른 사람이 유혹을 받아 쓰러진 곳이면 당신도 그 자리에서*

*쓰러질 수 있다*는 사실을 항상 염두에 두어야 한다.

- 오스왈드 챔버스

24. *속도를 줄이고 인생을 즐겨라.*

너무 빨리 가다 보면 놓치는 것은 주위 경관뿐이 아니다.

어디로 왜 가는지도 모르게 된다.

- 에디 켄터

25. 인생은 *속도가 아니라 방향이다.*

- 엘러노어 루스벨트

26. *자신의 가치*는 다른 어떤 누군가가 아닌

바로 자신이 정하는 것이다.

- 요한 볼프강 폰 괴테

27. 인생은 B(Birth)와 D(Death) 사이에 있는 *C(Choice)*이다.

- 장 폴 사르트르

28. 삶의 조건에 *근본적인 변화가 없으면*

오래 산다고 해서 *무엇을 이루게 되지는 않을 것이다.*

- 지그문트 프로이트

29. *좋은 일을 생각하면 좋은 일이 생긴다.*

    나쁜 일을 생각하면 나쁜 일이 생긴다.

    여러분은 여러분이 *온종일 생각하고 있는*

    바로 그것의 조합이다.

    - 조셉 머피

30. *자기 부모를 섬길 줄 모르는 사람*과는 벗하지 마라.

    왜냐하면 그는 *인간의 첫걸음을 벗어났기 때문이다.*

    - 소크라테스

31. 인생은 *피아노와 같다.*

    당신이 어떻게 *연주하는 것*에 따라 *얻는 것*이 달라진다.

    - 톰 리어

32. 인생에는 해결책이 없다. *나아가는 데 힘이 있다.*

    계속해서 *나아가다 보면 해결책은 따라오게 된다.*

    - 앙투안 드 생텍쥐페리

33. 누군가는 성공하고 누군가는 실수할 수도 있다.

    하지만 이런 차이에 너무 집착하지 말라. *타인과 함께,*

    *타인을 통해서 협력할 때*에야 비로소 *위대한 것이 탄생한다.*

    - 앙투안 드 생텍쥐페리

34. *꿈을 꾸어라.* 꿈을 잃는 것은 삶의 의미를 잃는 것이다.

    현실 앞에 무너져도 희망*을 잃지 말라.*

    - 세르반테스

35. 인생은 *한 권의 책*과 같다.

어리석은 이는 그것을 마구 넘겨 버리지만,

현명한 이는 열심히 읽는다.

*인생은 단 한 번만 읽을 수 있다*는 것을 알기 때문이다.

- 상 파울

36. 우리의 어제와 오늘은 우리가 쌓아 올리는 벽돌이다.

- 롱펠로우

37. 기회는 누구에게나 찾아오지만,

많은 사람이 기회가 온 것을 알지 못한다.

기회를 잡는 유일한 방법은 날마다 유심히 살피는 것이다.

- 앨버트 E. 더닝

38. *아름다운 질문*을 하는 사람은 언제나 *아름다운 대답*을 얻는다.

- E.E. 커밍스

39. *당신 자신의 가치를 알 때* 결정은 더 이상 어려운 일이 아니다.

- 로이 올리버 디즈니

40. 누구의 인생이든 절정기가 있게 마련이고,

그 절정기의 대부분은 *누군가의 격려*를 통해 찾아온다.

- 조지 애덤스

41. 그것은 당신의 삶이다.

그렇기에 *당신이 할 수 있는 모든 것을 해 봐라.*

그리고 그것을 통해서 *당신이 원하는 삶을 살 수 있도록 노력하라.*

- 메이 제미슨

42. 인생은 될 대로 되는 것이 아니라 *생각대로 되는 것이다.*

자신이 어떤 마음을 먹느냐에 따라 모든 것이 결정된다.

사람은 생각하는 대로 산다.

생각하지 않고 살아가면 *살아가는 대로 생각한다.*

- 조엘 오스틴

43. 나는 *모든것을 갖고자 했지만,* 결국 *아무것도 갖지 못했다.*

- 기 드 모파상

44. 삶의 목적은 *믿고, 소망하고, 노력하는 것*입니다.

- 인디라 간디

45. 인생에서 가장 슬픈 세 가지 -

할 수도 있었는데, 했어야 했는데, 해야만 했는데.

- 루이스 E. 분

46. 보람된 일은 *그것 자체가 기쁨*이며,

사람이 거기에서 얻는 이익에 대한 기쁨이 아니다.

- 알랭

47. 고난과 역경에 처할지라도 *마음의 여유를 잃지 않고*

*미소 짓는 삶의 자세*야말로 *운명을 역전시키는 기적의 비밀이다.*

- 헤르만 헤세

48. *당신의 삶*은 기회가 아닌, *변화에 의해서 더 나아질* 수 있다.

- 짐 론

49. *인생을 경계선 없이 살면 기쁨이 덜하다.*

- 톰 행크스

50. 인간에게 있어서 가장 아름다운 진실은

마음가짐이 바뀐다면 현실도 바뀐다는 것이다.

- 플라톤

51. 가장 중요하게 고려해야 할 두 가지는 신뢰 그리고 믿음이다.

- 제임스 딘

52. *모든것을 손에 넣으면 희망이 사라진다.*

언제나 어느 정도의 욕심과 희망을 *비축해 두어라.*

- 발타자르 그라시안

53. *20대에는 욕망*의 지배를 받고, *30대는 이해타산,*

40대는 분별력, 그리고 그 나이를 *지나면*

*지혜로운 경험*에 의한 지배를 받는다.

- 발타자르 그라시안

54. *싸움을 자제하는 것*이 싸움에서 빠져나오기보다 쉽다.

- 세네카

55. 중요한 건 일정표에 적힌 우선순위가 아니라

*당신 인생의 우선순위*를 정하는 것이다.

- 스티븐 코비

56. 길이 막혔다면 원점으로 돌아가세요.

미로에서 헤매느라 실마리를 찾지 못할 때는 *초심으로*

돌아가는 것이 의외로 색다른 발견을 가져다 줄 수 있답니다.

- 쿠니시 요시히코

57. *우리 인생의 옷감은 선과 악이 뒤섞인 실로 짜인 것이다.*

- 윌리엄 셰익스피어

58. 있다고 *다 보여 주지 말고,* 안다고 *다 말하지 말고,*

가졌다고 *다 빌려주지 말고,* 들었다고 *다 믿지 마라.*

- 윌리엄 셰익스피어

59. 만나면 *좋고,* 함께 있으면 *더 좋고,*

헤어지면 *늘 그리운 사람*이 되자.

- 용혜원 시인

60. *인생을 사랑하는 것*과 *탐욕을 부리는 것*은 한 끗 차이이다.

- 마야 안젤루

61. *우리는 된다. 우리가 생각한 대로*

- 얼 나이팅게일

62. 춤추라, 아무도 바라보고 있지 않은 것처럼.

사랑하라, 한 번도 상처받지 않은 것처럼.

노래하라, 아무도 듣고 있지 않은 것처럼.

일하라, 돈이 필요하지 않은 것처럼.

살라, 오늘이 마지막 날인 것처럼.

- 알프레드 디 수자

63. 인생은 목표를 이루는 과정이 아니라 *그 자체가 소중한 여행*일지니 서투른 자녀 교육보다 *과정 자체를 소중하게 생각할 수 있는 훈육*을 시키는 것이 더욱 중요하다.

- 키에르케고르

64. 상처는 물에 닿으면 아팠던 게 더 아파지거든요. 그래서

비가 오면 *상처를 안고 있는 사람들은 그렇게 더 아픈 거래요.*

- 류시화 시인

65. 다른 사람이 무엇을 하든 신경 쓰지 마라.

더 나은 자신이 되기 위해 노력하라.

- 윌리엄 보엣커

66. 인생은 *3막이 고약하게 쓰인 조금 괜찮은 연극*이다.

- 트루먼 카포트

67. *타인의 삶에 미치는 영향만이 인생에서 유의미하다.*

- 재키 로빈슨

68. 그저 살려고 태어난 게 아니다.

의미 있는 인생을 만들려고 태어난 것이다.

- 헬라스 브릿지스

69. 세상에 기쁨만 있다면 우리는 *담대함*과 *인내하는 법*을

결코 배울 수 없을 것입니다.

- 헬렌 켈러

70. 자신의 힘으로 살아가는 것이 아니라, 서로 의지하고

도와가며 *행복한 인간관계를 유지하는 것*이 지혜입니다.

- 달라이 라마

71. 인생은 *거울*과 같으니, 비친 것을 밖에서 들여다보기보다

먼저 자신의 내면을 살펴야 한다.

- 윌리 페이머스 아모스

72. 우리가 사는 환경은 우리가 만들어 가는 것이다.

내가 바뀔 때 인생*도 바뀐다.*

- 앤드류 매튜스

73. 기회*는 노크하지 않는다.*

그것은 당신이 *문을 밀어 넘어뜨릴 때 모습을 드러낸다.*

- 카일 챈들러

74. 어른들은 누구나 처음에는 *어린이*였다.

그러나 *그것을 기억하는 어른은 별로 없다.*

- 앙투안 드 생텍쥐페리

75. 인생*은 본시 단순한 것이다.*

그런데 사람들은 인생을 자꾸 복잡하게 만들려고 한다.

- 공자

D. 성공

1. 성공에 있어 *IQ보다 중요한 것은 누군가를 설득해서 자기가 원하는 바를 이루는 '실용지능'이다.*

- 말콤 글래드웰

2. '*자신은 할 수 없다*'고 생각하고 있는 동안은 '*그것을 하기 싫다*'고 다짐하고 있는 것이다. 그러므로 *그것은 실행되지 않는다.*

- 스피노자

3. 사람들에게 뭐가 제일 좋으냐고 물으면 *부귀, 명성, 쾌락*의 세가지로 귀결된다. 사람은 이 세 가지에 너무 집중하기 때문에 *다른 좋은 것은 거의 생각하지 못한다.*

- 스피노자

4. 꿈을 이루기 위해 노력하되 마음속에 늘 *자신이 이룬 꿈이 누군가의 또 다른 꿈이 된다는 사명감과 책임의식을 가져라.*

- 퀴리부인

5. 이 세상에 *위대한 사람은 없다.* 단지 *평범한 사람들이 일어나 맞서는 위대한 도전이 있을 뿐이다.*

- 윌리엄 프네데릭 홀시

6. 당신이 걱정해야 할 유일한 한계*는 마음속에 그어놓은 한계다.*

- 스킵 프리처드

7. *어느 곳을 향해서 배를 저어야 할지를 모르는 사람*에게는 어떤 바람도 *순풍이 아니다.*

- 몽테뉴

8. 꿈을 날짜와 함께 적어 놓으면 그것은 목표가 되고,
목표를 잘게 나누면 그것은 계획이 되며,
그 계획을 실행에 옮기면 꿈은 실현되는 것이다.

- 그레그 S 레이드

9. 일의 크고 작음에 상관없이 *책임을 다하면 꼭 성공한다.*

- 데일 카네기

10. 성공이란 *당신이 원하는 것을 갖는 것*이다.
그리고 행복이란 *당신이 가진 것을 원하는 것*이다.

- 데일 카네기

11. 행운은 눈이 멀지 않았다. 따라서 *부지런하고 성실한 사람을 찾아간다.* 앉아서 기다리는 사람에게는 영원히 찾아오지 않는다.
노력하는 사람에게 행운이 찾아온다.

- 클레망소

12. 세상은 *고난*으로 가득하지만, *고난의 극복*으로도 가득하다.

- 헬렌 켈러

13. 절망하지 마라.
종종 열쇠 꾸러미의 *마지막 열쇠가 자물쇠를 연다.*

- 필립 체스터필드

14. *명예롭지 못한 성공*은 양념하지 않은 요리와 같아서
배고픔은 면하게 해 주지만 *맛은 없다.*

- 조 파테이노

15. 실패한 자가 패배하는 것이 아니라 *포기한 자가 패배하는 것이다.*

- 장 파울

16. 자신의 한계를 극복하고 스스로 더 높은 곳을 열망하면
당신은 날 수 있게 될 것이다.

- 브라이언 트레이시

17. 성공이란 *당신이 가장 즐기는 일*을 당신이 감탄하고 존경하는
사람들 속에서 *당신이 가장 원하는 방식으로 행하는 것*이다.

- 브라이언 트레이시

18. If you can dream it, you can do it

- 월트 디즈니

19. 하면 된다! (You can make it if you try)

- 버락 오바마

20. 가장 높은 곳에 올라가려면 *가장 낮은 곳부터 시작하라.*

- 루불리우스 시루스

21. 출발하기 위해 위대해질 필요는 없지만
위대해지려면 출발부터 해야 한다.

- 레스 브라운

22. 큰일을 하는 경우에는 기회를 만들어내기 보다는
눈앞의 기회를 잡도록 힘써야 한다.

- 라 로슈코프

23. 꿈은 머리로 생각하는 게 아니라 가슴으로 느끼고

손으로 적고 발로 실천하는 것이다.

- 존 고다드

24. 오랫동안 꿈을 그리는 사람은 마침내 그 꿈을 닮아간다.

- 앙드레 말로

25. 당신이 바라거나 믿는 바를 말할 때마다 그것을 가장 먼저

듣는 사람은 당신이다. 그것은 당신이 가능하다고

믿는 것에 대해 당신과 다른 사람 모두를 향한 메시지다.

스스로에 한계를 두지 마라.

- 오프라 윈프리

26. 도전에 성공하는 비결은 단 하나, 결단코 포기하지 않는 일이다.

- 디어도어 로빈

27. 자신에게 동기부여를 할 수 없는 사람은 다른 재능이 아무리

뛰어나다 하더라도 평범한 삶에 만족할 수밖에 없다.

- 앤드류 카네기

28. 인간사에는 안정된 것이 하나도 없음을 기억하라.

그러므로 성공에 들뜨거나 역경에 지나치게 의기소침하지 말라.

- 소크라테스

29. 인생은 끊임없이 배우고, 준비해야 한다.

우리는 안주하지도, 안일하지도 않으면서

늘 준비하는 삶을 살아야 한다.

- 엘리자베스 퀴블러 로스

30. *승리는 준비된 자에게 찾아오며* 사람들은 이를 '행운'이라 부른다.

패배는 미리 준비하지 않은 자에게 찾아오며

사람들은 이를 '불운'이라 부른다.

- 로알 아문젠

31. 작은 부자는 *근면함*에서 나오고 큰 부자는 *하늘이 낸다.*

- 명심보감

32. 사람이 인생에서 성공하는 비결은 *기회*가 다가올 때

그것을 *받아들일 준비가 되어 있는가, 그렇지 않은가*에 달려 있다.

- 벤저민 디즈레일리

33. *인간이 위대한 것*은 자기 자신과 환경을 뛰어넘어

*꿈을 이루어 내는 능력*이 있기 때문이다.

- 톨리 C.놀즈

34. *좌절의 시간은 잊어라.* 그러나 *그것이 준 교훈은 절대 잊지 말라.*

- 하버트 S. 개서

35. 완벽함이란 더 이상 보탤 것이 남아 있지 않을 때가 아니라

더 이상 뺄 것이 없을 때 완성된다.

- 앙투안 드 생텍쥐페리

36. 용기란 *자신이 두려워하는 것을 하는 것이다.*

즉 두려움이 없으면 용기도 없다.

-에디 리켄베커

37. *천하와 국가를 다스리는 요점*은 사람을 씀에 있을 따름이다.

- 정 도전

38. 인생에서 여러 번 낙담할 수는 있다. 하지만 그건 실패가 아니다. *다른 사람 탓을 하고 모든 시도를 멈추는 순간*이 바로 <u>실패</u>다.

- 존 버로우

39. 인생에서 <u>실패</u>한 사람 중 다수는 *<u>성공</u>을 목전에 두고도 모른 채 포기한 이들이다.*

- 토마스 A. 에디슨

40. 조급한 마음으로 *치밀한 계획*도 없이, *먼저 벽돌부터 쌓는다면* <u>실패</u>할 수밖에 없다.

- 발타자르 그라시안

41. <u>성공</u>은 삶에서 당신이 도달한 현재의 위치가 아니라 그동안 *당신이 극복한 장애물들*입니다.

- 부커 T. 워싱턴

42. <u>낙관적인 사람</u>은 *고난에서 기회*를 보고 <u>비관적인 사람</u>은 *기회에서 고난*을 본다.

- 윈스턴 처칠

43. *문제를 바르게 <u>파악</u>하면 절반은 해결된 것이다.*

- 찰스 F. 케터링

44. *<u>지금 최선</u>을 다하면 '미래'는 알아서 잘 풀릴 것이다.*

- 개리 베이너척

45. *신중하되 천천히 하라.* 빨리 뛰는 것이야말로 넘어지는 것이다.

- 윌리엄 셰익스피어

46. 성공이란 세월이 흐를수록 *가족과 주변 사람들이*

나를 점점 더 좋아하는 것이다.

- 짐 콜린스

47. 나는 운의 존재를 믿고 있다. 그리고 그 운은

*내가 노력하면 할수록 내게 달라붙는다*는 것을 알고 있다.

- 토머스 제퍼슨

48. 산을 움직이려 하는 이는 작은 돌을 들어내는 일로 시작한다.

- 공자

49. 자신의 능력을 *믿어야 한다.* 그리고 *끝까지 굳세게 밀고 나가라.*

- 로잘린 카터

50. 많은 사람은 *실수 때문에 실패하지 않습니다.*

그들이 실패하는 이유는 *시도하는 걸 두려워하기 때문입니다.*

- 조지 포먼

51. *현재 속에 존재한다*는 것은 *잡념을 없앤다*는 뜻이다.

그것은 바로 *지금 중요한 것에 관심을 쏟는다*는 뜻이다.

- 스펜서 존스

52. 리더는 자기가 *가는 길을 알고, 그 길을 가고,*

또한 *그 길을 보여줄 수 있는 사람이다.*

- 존 맥스웰

53. 진정한 성공은 *평생의 일을 자신이 좋아하는 일에서 찾는 것이다.*

- 데이비드 매컬로

54. 나는 성공하는 것보다 *쓰임 받는 사람*이 되고 싶습니다.

- 존 맥아더

E. 행복

1. *잘 보낸 하루가 행복한 잠*을 가져오듯이

   *잘 쓰인 인생은 행복한 죽음*을 가져온다.

   - 레오나르도 다빈치

2. 세상에서 가장 지혜*로운 사람은 배우는 사람이고,*

   세상에서 가장 행복*한 사람은 감사하며 사는 사람이다.*

   - 탈무드

3. 욕심*의 반대*는 무욕이 아닌

   *잠시 내게 머무름에 대한 만족*입니다.

   - 달라이 라마

4. 행복은 우리가 어떻게 끝을 맺느냐가 아니라

   *어떻게 시작하느냐*의 문제이다.

   또 우리가 무엇을 소유하느냐가 아니라

   *무엇을 바라느냐*의 문제이다.

   - 로버트 루이스 스티븐슨

5. 행복은 마음의 상태가 아니라 *존재의 방식*이며,

   미덕에 부합하는 *영혼의 활동*이다.

   - 아리스토텔레스

6. 행복은 *우리 자신에게 달려 있다.*

   - 아리스토텔레스

7. *익숙함에 속아 소중함을 잊지 말자.*

- 앙투안 드 생텍쥐페리

8. 나는 행복에 이르는 길이 *우리를 얽매는 '채움'이 아니라 우리를 자유롭게 하는 '비움'이라는 사실을 깨달았다.*

- 미하엘 코르트

9. 기쁨을 주는 사람만이 *더 많은 기쁨을 즐길 수 있다.*

- 알렉산더 듀마

10. *누군가의 잘못으로 내가 고생하는 것*이

내가 잘못을 저지르는 것보다 낫고,

남을 믿지 못하는 것보다 *속아 넘어가는 편*이 훨씬 행복하다.

- 새뮤얼 존슨

11. 행복에 이르는 길은 *욕심을 채울 때가 아니라 비울 때 열린다.*

- 에피쿠로스

12. 행복으로 가는 길은 오직 하나다.

우리의 의지를 넘어서는 일은 걱정하지 않는 것이다.

- 에픽테토스

13. 행복은 *현재와 관련되어 있다.*

목적지에 닿아야 행복해지는 것이 아니라

여행하는 과정에서 행복을 느끼기 때문이다.

- 앤드류 매튜드

14. 불안은 생활에 독을 섞어 놓는다. *참고 견디는 것은 생활에 시적인 정취와 엄숙한 아름다움을 준다.*

- 드니 아미엘

15. 행복의 비결은 좋아하는 일을 해서가 아니라

해야 하는 일을 좋아하기 때문이다.

- 제임스 베리

16. 욕망은 우리를 자꾸자꾸 끌고 간다.

도달할 수 없는 곳으로 끌고 간다.

우리의 불행은 바로 거기에 있다.

- 장 자크 루소

17. 사치스럽게 사느라 지쳐있는 우리는 행복과는 점점

멀어져 간다. 행복한 삶은 때로는 단순하다.

가장 좋은 집은 생활필수품을 갖추되

불필요한 물건은 하나도 없는 집이다.

- 소크라테스

18. *사람은 만족을 알아야 한다.* 일할 때는 부족함을

알아야 하고 배울 때는 만족을 몰라도 된다.

가장 적은 것으로도 만족하는 사람이 가장 부유한 사람이다.

- 소크라테스

19. 어리석은 자는 멀리서 행복을 찾고,

현명한 자는 자신의 발치에서 행복을 키워간다.

- 제임스 오펜하임

20. 사람이 얼마나 행복한가는 *그에 감사의 깊이에 달려 있다.*

- 존 밀러

21. 행복하고 성공한 사람들은 다음 3가지를 갖추고 있다.

첫째 *과거에 감사하고* 둘째 *미래의 꿈을 꾸고*

셋째 *현재를 설레며 산다.*

- 모치즈키 도시타카

22. *행복은 입맞춤과 같다.*

행복을 얻기 위해서는 누군가에게 행복을 주어야만 한다.

- 디어도어 루빈

23. 우리는 행복하기 때문에 웃는 것이 아니고,

웃기 때문에 행복하다.

- 윌리엄 제임스

24. 이 세상에서 가장 행복한 사람은 *일하는 사람,*

*사랑하는 사람, 희망이 있는 사람*이다.

- 조지프 애디슨

25. *남을 행복하게 할 수 있는 사람*만이 행복을 얻을 수 있다.

- 플라톤

26. 불행한 사람은 *갖지 못한 것을 사모하고,*

행복한 사람은 *갖고 있는 것을 사랑한다.*

- 하워드 가드너

27. 그대에게 죄를 지은 사람이 있거든,

그가 누구이든 *그것을 잊어버리고 용서하라.*

그때 그대는 *용서한다는 행복*을 알 것이다.

- 레프 톨스토이

28. 세상에서 가장 큰 행복은 한 해가 끝날 때

그 해의 처음보다 *더 나아진 자신을 느낄 때*이다.

- 레프 톨스토이

29. 용서하지 않는 사람의 내적 고통처럼 큰 고통은 없다.

그것은 *평안을 거부한다.* 그것은 *치유를 거부한다.*

그것은 *망각을 거부한다.*

- 찰스 스윈돌

30. *오늘 할 수 있는 일에 전력을 다하라.*

그러면 *내일에는 한 걸음 더 진보한다.*

- 아이작 뉴턴

31. *마음속에 행복한 기대를 안고 보낸 시간*이

*성공을 이룬 시간*보다 더 즐거운 법이다.

- 올리버 골드 스미스

32. 때로는 기쁨이 미소를 만들어 내지만 때로는

*미소 짓는 것*만으로도 *기쁨을 만들어 낼 수 있습니다.*

- 틱낫한

33. *적당히 일하고 좀 더 느긋하게 쉬어라.*

현명한 사람은 느긋하게 인생을 보냄으로써

진정한 행복을 누리는 것이다.

- 그라시안

34. *사람은 행복해지고자 마음먹은 만큼 행복해진다.*

- 에이브러햄 링컨

F. 인격, 습관

1. 좋은 습관을 *굳히기 위해 노력하는 것보다*

나쁜 습관을 *제거하는 것부터 시작하라.*

- 박 경철

2. 성급할 필요는 없다. *물은 99도가 되어도 끓지 않는다.*

100도가 되기를 기다리는 *인내와 여유가 필요하다.*

- 박 경철

3. 새로운 *목표와 결심* 앞에 섰다면

일단 *스스로를 믿고 자신과 끊임없이 대화하라.*

- 박 경철

4. *치열한 고민과 방황, 계속되는 작심삼일과 시행착오는*

사실 답을 찾아가는 과정이다.

중요한 것은 *내 삶의 주인공은 나이며*

강한 의지를 갖고 변화를 이끌 힘이 내 안에 있음을 믿어라.

- 박 경철

5. '富'는 *만족함을 아는 데 있고,*

'貴'는 *물러남을 구하는 데 있다.*

- 박 경철

6. 그들이 당신을 뭐라고 부르는지는 중요하지 않다.

문제는 *당신이 그들에게 뭐라고 대답하는가이다.*

- W.C.필즈

7. *세상은 그대의 의지에 따라 그 모습이 변한다.*

동일한 상황에서도 어떤 사람은 절망하고,

어떤 사람은 여유 있는 마음으로 행복을 즐긴다.

- 발라자르 그라시안

8. 사람들 간에는 거의 차이가 없으나 *작은 차이가*

커다란 차이를 만든다. 이 작은 차이는 태도인데

태도가 적극적이냐 소극적이냐 하는 것이다.

- 클레멘트 스톤

9. 배움이란 *평생 알고 있었던 것*을 어느 날 갑자기

완전히 새로운 방식으로 이해하는 것이다.

- 도리스 레싱

10. 사람은 오로지 가슴으로만 올바로 볼 수 있다.

본질적인 것은 눈에 보이지 않는다.

- 앙투안 드 생텍쥐페리

11. 평소에 *흔들림 없는 삶의 태도*를 유지하는 것은

*인생의 갖가지 어려움을 현명하게 대처하는 길*이다.

- 앤드류 카네기

12. 너는 너이기 때문에 특별하단다. 특별함에는 어떤 자격도

필요 없으며 *너라는 이유만으로 충분하단다.*

- 맥스 루카도

13. 처음에는 *우리가 습관을 만들지만,*

그다음에는 *습관이 우리를 만든다.*

- 존 드라이든

14. 우리는 *자신을 이김으로써 자신을 향상시킨다.*

자신과 싸움은 반드시 존재하고 거기에서 이겨야 한다.

\- 에드워드 기번

15. 힘든 일에 부딪혔을 때 *가장 현명하고 간단한 답은 웃음이다.*

\- 허먼 멜빌

16. 아무것도 변하지 않을지라도 *내가 변하면 모든 것이 변한다.*

\- 오노레 드 발자크

17. *가장 중요한 실수는 조급함 때문에 일어난다.*

\- 마이크 머독

18. 생각의 씨앗을 뿌리면 행동의 열매가 열리고,

행동의 씨앗을 뿌리면 습관의 열매가 열리고,

습관의 씨앗을 뿌리면 성격의 열매가 열리고,

성격의 씨앗을 뿌리면 운명의 열매가 열린다.

\- 보나파르트 나폴레옹

19. *변화에서 가장 힘든 것*은 새로운 것을 생각 해내는

것이 아니라 *이전에 가지고 있던 틀에서 벗어나는 것이다.*

존 메이너드 케인즈

20. 당신의 고통은 *당신이 오해의 껍질을 벗고*

이해하는 사람이 되도록 만드는 것이다.

\- 칼릴 지브란

21. 많은 사람은 단순히 자신의 편견을 재배치해 놓고

이것이 새로운 생각을 하고 있다고 믿는다.

\- 윌리엄 제임스

22. *말이 아니라* 행동*이 나를 대변할 것이다.*

- 존 플래쳐

23. 노동은 인생을 감미롭게 해주는 것이지

결코 *힘겨운 짐이 아니다.*

걱정거리를 가지고 있는 자만이 노동을 싫어한다.

- 빌헬름 브르만

24. 말도 *아름다운 꽃처럼 그 색깔을 지니고 있다.*

- E.리스

25. 받은 상처는 *모래에 기록하고* 받은 은혜는 *대리석에 새기라.*

- 벤저민 프랭클린

26. 어리석은 자는 자기가 똑똑하다고 생각하지만,

똑똑한 자는 자기가 어리석음을 안다.

- 윌리엄 셰익스피어

27. *생각하는 것을 가르쳐야 하는 것이지,*

생각한 것을 가르쳐서는 않된다.

- 코울릿

28. 경험이란 당신에게 일어나는 일이 아니다.

경험은 *당신에게 일어나는 일을 가지고 당신이 행동하는 것이다.*

- 엘더스 헉슬리

29. 온유함은 약함이 아니다. 그것은 *통제된 힘*이다.

- 워렌 위어스비

30. 힘보다는 인내심으로 *더 큰 일을 이룰 수 있다.*

- 에드먼드 버크

31. 견디기 힘든 *현실을 부정하고* 자신이 만든 *가상의 세계로 도피*한다면 당신은 정신이상이라는 진단을 듣게 될 것이다.

- 프로이트

32. 장애물이란 *목표지점에서 눈을 돌릴 때 나타나는 것이다.*

목표에 눈을 고정하고 있다면 장애물은 보이지 않는다.

- 헨리 포드

33. '빈 마음' 그것을 무심이라고 한다.

빈 마음이 곧 우리들의 '본마음'이다.

무엇인가 채워져 있으면 '본마음'이 아니다.

텅 비우고 있어야 거기 울림이 있다.

울림이 있어야 삶이 신선하고 활기 있는 것이다.

- 법정 스님

34. 교육은 그대의 머릿속에 씨앗을 심어주는 것이 아니라

그대의 씨앗들이 자라나게 해준다.

- 칼릴 지브란

35. 긍정적인 태도는 *강력한 힘을 갖는다.*

그 어느 것도 그것을 막을 수 없다.

- 매들린 랭글

36. 친절한 행동은 아무리 작은 것이라도 *절대 헛되지 않다.*

- 이솝

37. 겉모습만 보고 판단하지 말 것. 첫인상이 중요하긴 하지만,

그 중요성에 비해 *정확성은 그리 신뢰할 만하지 않다.*

- 이드리스 샤흐

38. *인간은 스스로의 선택에 의해 자신의 모습을 만들어간다.*

- 사르트르

39. 신념은 *명사가 아니라 동사라는 사실을 명심하라.*

신념은 실천하면서 얻어지는 것이지

말로써 얻어지는 것이 아니다.

- 주얼 D. 테일러

40. *사람의 가치를 직접 드러내는 것은*

재산도 지위도 아니고 그의 인격이다.

- 드니 아미엘

41. 현재 위치가 소중한 것이 아니라

가고자 하는 방향이 소중하다.

- 올리버 웬델 홈즈

42. 잘못은 따로 있는 게 아니다.

같은 잘못을 계속 되풀이하는 것이다. 그것이 바로 잘못이다.

- 알렉산드르 푸시킨

43. 악한 행위를 하는 사람은 다른 사람은 물론

자신에게 더 큰 상처를 입힌다.

- 소크라테스

44. *우리의 말보다 우리의 사람됨이 아이에게 훨씬 더 많은*

가르침을 준다. 따라서 우리는 우리 아이들에게 바라는

바로 그 모습이어야 한다.

- 조셉 칠튼 피어스

45. 기다리는 것은 힘들지만

기다리지 않는 시간보다 훨씬 행복하다.

- 에쿠니 가오리

46. *관계가 두터워질수록, 가까운 사이일수록* 상대방을

마치 나의 소유물처럼 취급해 *자기 마음대로 하려고 합니다.*

- 다산 정약용

47. 몸과 마음은 *도가 높아질수록 편안해지고*

권세가 높아질수록 위태로워진다.

- 사마천

48. 작은 잘못을 미리 깨닫고 고칠 수 있는 사람은

결코 망하지 않는다.

- 노자

49. 칭찬은 평범한 사람을 특별한 사람으로 만드는 마법의 문장이다.

- 막심 고리키

50. 진정으로 *당신의 삶을 바꾸고 싶거든*

당신을 에워싼 것부터 바꿔라.

- 앤드류 매튜스

51. 용기란 *두려움에 대한 저항*이고, *두려움의 정복*이다.

두려움이 없는 게 아니다.

- 마크 트웨인

52. 사람들은 *당신이 한 말*을 금방 잊어버리지만,

*당신이 그들에게 준 느낌*은 항상 기억할 것이다.

- 워렌비티

53. 궁금증을 풀고 싶다면 어느 주제에 대한 것이든

호기심이 발동하는 그 순간을 잡아라.

그 순간을 흘려보낸다면 그 욕구는 다시 돌아오지

않을 수 있고 당신은 무지한 채로 남게 될 것이다.

- 윌리엄 워트

54. 마음은 팔 수도 살 수도 없지만 *줄 수 있는 보물이다.*

- 플로베르

55. 걱정을 떨쳐내려면 *사실에 직면하라.*

그리고 *네가 할 수 있는 일을 하라.*

- 맥카트니 박사

56. 사람이 할 수 있는 *가장 아름다운 것은 용서하는 것이다.*

- 엘리잘 벤 주다

57. 우리는 *유일한 실망*을 받아들여야 한다.

그러나 결코 *무한한 소망*을 잃어버려서는 안 된다.

- 마틴 루터 킹

58. 혀를 다스리는 건 나지만 *내뱉어진 말은 나를 다스린다.*

함부로 말하지 말고 한번 말한 것은 책임져야 한다.

- 유재석

59. 반복해서 할 때 그것은 나의것이 된다.

우수함은 행위가 아니라 습관이다.

- 윌 듀란트

60. 욕구를 절제하는 사람은 *욕구가 절제될 수 있을 만큼 약한 것이기 때문*에 절제한다.

- 윌리엄 블레이크

61. 당신이 *타인의 말*에 귀 기울이지 않으면 그들도 *당신의 말*에 귀 기울이지 않는다.

- 래리 킹

62 사람은 누구든지 자기만의 거울을 갖고 있다. 그 거울은 타인 속에 있어서 *자신의 죄악과 결점을 똑똑히 비춰준다.* 그런데 우리는 대개 *이 거울에 개처럼 반응한다.* 거울에 비친 것이 자신이라는 사실을 모르고 사납게 짖어대는 것이다.

- 쇼펜하우어

63. 바뀐 것은 없다. 단지 내가 달라졌을 뿐이다. *내가 달라짐으로써 모든 것이 달라진 것이다.*

- 마르셀 프루스트

64. 화는 당신이 *다른 사람에게 주는 독이지만,* 실제로는 *당신에게 가장 큰 해를 입힙니다.*

- 로버트 그린

65. 다른 사람의 이야기를 진지하게 들어주는 경청의 태도는 우리가 다른 사람에게 나타내 보일 수 있는 *최고의 찬사 가운데 하나이다.*

- 앤드류 카네기

66. 모든 변화는 *저항을 받는다.*

특히 *시작할 때*는 더욱더 그렇다.

- 앤드류 매튜스

67. *사람은 혼자 있을 때 정직하다.* 혼자 있을 때는

자기를 속이지 못한다.

그러나 *남을 대할 때는 그를 속이려고 한다.*

하지만 좀 더 깊이 생각하면, 그것은 *남을 속이는 것이*

*아니고 자기 자신을 속인다*는 것을 알아야 한다.

- 에머슨

68. 내 경험으로 미루어 보건데,

단점이 없는 사람은 장점도 거의 없다.

- 에이브러햄 링컨

69. *함께 웃을 수 있다는 것은*

*함께 일할 수 있다는 것*을 의미한다.

- 로버트 오벤

70. 우리의 유일한 한계는

우리 스스로 마음으로 설정한 것들이다.

- 나폴레온 힐

71. 패배보다는 승리 때문에 몰락하는 사람이 더 많다.

- 엘리너 루스벨트

72. 스스로 생각하고, 스스로 탐구하고, 제 발로 서라.

- 임마뉴엘 칸트

73. 꿈을 가져라. 계획을 세워라.

그리고 그것을 향해 나아가라.

약속하건대, *당신은 거기에 이를 것이다.*

- 조 코플로비츠

74. *위대한 행동*이라는 것은 없다.

*위대한 사랑으로 행한 작은 행동들*이 있을 뿐이다.

- 마더 테레사

75. 편견은 *내가 다른 사람을 사랑하지 못하게* 하고,

오만은 *다른 사람이 나를 사랑할 수 없게 만든다.*

- 제인 오스틴

G. 사랑, 우정, 가족

1. 사랑은 나중에 하는 게 아니라 *지금 하는 것*입니다.

   살아있는 지금, 이 순간에.

   \- 위지 안

2. 진심으로 사람을 사랑하는 것은

   그 사람의 외모나 조건 때문이 아니다.

   그에게서 나와 똑같은 영혼을 알아보았기에 사랑하는 것이다.

   \- 레프 톨스토이

3. 사랑스런 눈을 가지고 싶다면 *사람들에게서 좋은 점을 보아라.*

   \- 오드리 햅번

4. 사랑의 첫 번째 계명은 희생할 수 있어야 한다.

   *자기희생은 사랑의 고귀한 표현*이기 때문이다.

   \- 발타자르 그라시안

5. 인생 최대의 비극은 사람이 죽는 것이 아니라

   *사랑하는 것을 그만두는 일*이다.

   \- W.S.몸

6. *우리만이 사랑할 수 있고,*

   이전에 그 누구도 *우리만큼 사랑할 수 없었으며,*

   이후에 그 누구도 *우리만큼 사랑할 수 없음을 믿을 때*

   진정한 사랑의 계절이 찾아온다.

   \- 요한 볼프강 폰 괴테

7. 사랑한다*는 그 자체 속에서* 행복*을 느낄 수 있기 때문에 사랑하는 것이다.*

- 블레즈 파스칼

8. *사랑받고 싶다면 사랑하라. 그리고 사랑스럽게 행동하라.*

- 벤저민 프랭클린

9. *이별의 아픔 속에서만* 사랑의 깊이*를 알게 된다.*

- 조지 엘리엇

10. 사랑은 인간 생활의 *최후의 진리*이며 *최후의 본질*이다.

- 슈와프

11. 사랑은 *자신 이외에 다른 것도 존재한다는 사실을* 어렵사리 깨닫는 것이다.

- 아이리스 머독

12. 사랑은 찾는 것이 아닙니다. *사랑은 당신을 발견하는 것입니다.*

- 로레타 영

13. *더욱더 사랑하는 것*밖에는 사랑의 치료법이 없다.

- H.D. 도로우

14. 사랑에는 한 가지 법칙밖에 없다.
그것은 *사랑하는 사람을 행복하게 만드는 것이다.*

- 스탕달

15. *얼마나 많이 주느냐보다 얼마나 많은* 사랑을 담느냐*가 중요하다.*

- 마더 테레사

16. 이 세상에 우리가 태어나 경험하는 가장 멋진 일은 *가족의 사랑을 배우는 것이다.*

- 조지 맥도널드

17. 친구란 면이 울퉁불퉁하고 온전하지 않은

거울에 비친 네 얼굴이다.

- 토마스 드윗 탈마지

18. 많은 사람들이 당신의 삶을 드나들겠지만,

진정한 친구만이 *당신의 마음에 발자국을 남길 것입니다.*

- 레프 톨스토이

19. *고난과 불행이 찾아올 때 비로소 친구가 친구임을 안다.*

- 랜드우드

20. 사람에겐 친구와 적이 필요하다.

친구는 충고를, 적은 경고를 한다.

- 소크라테스

21. 樹欲靜而風不止 : 나무는 고요 하고자 하나

바람이 그치지 않고,

子欲養而親不待 : 자식은 봉양코자 하나

부모는 기다려 주지 않는다.

- 논어

22. 가족들이 서로 맺어져 *하나가 되어 있다*는 것이

정말 이 세상에서의 *유일한 행복*이다.

- 퀴리부인

23. 아버지가 되기는 쉽다. 그러나 아버지답기는 어려운 일이다.

- 세링 그레스

24. 부부란 둘이 서로 반씩 되는 것이 아니라

하나로서 전체가 되는 것이다.

- 반 고흐

25. 부모는 그대에게 삶을 주고도 이제 당신의 삶까지 주려고 한다.

- 척 팔라닉

26. 부모들이 우리의 어린 시절을 꾸며 주셨으니

우리는 그들의 말년을 아름답게 꾸며드려야 한다.

- 앙투안 드 생텍쥐페리

27. 결혼은 명사가 아니라 *동사다.*

결혼은 얻는 것이 아니라 *실천하는 것이다.*

결혼은 당신이 *매일 배우자를 사랑하는 것이다.*

- 바바라 디 앤젤리스

28. 사랑*하는 것이 인생이다.*

*사람과 사람 사이의 결합이 있는 곳에 기쁨*이 있다.

- 요한 볼프강 폰 괴테

29. 부부란 비오는 날 정류장에서 우산을 들고

기다리는 모습이 가장 아름다운 사람이다.

- 김수환 추기경

I. 역사, 철학

1. 인류역사는 *도전에 대한 응전이 있을 때 승리하였고 발전해 나갔다.*

- 아놀드 조지프 토인비

2. 과거의 영광에 붙들려 있는 것은 문명도 사람도 불행하게 만든다.
과거에 매여 있는 사람은 이미 죽어있는 사람이다.
희망을 품고 미래를 향해 떠날 용기가 있는 사람은
언제나 늙지 않는 청년이다.

- 아널드 조지프 토인비

3. 역사가 되풀이될 때는 *처음에 비극의 형태*를 띠었던 것이
다음번에는 희극으로 나타난다.

- 칼 마르크스

4. 영토를 잃은 민족은 재생할 수 있어도,
역사*를 잊은 민족은 재생할 수 없다.*

- 신채호

5. 자신의 나라를 사랑하려거든 역사*를 바로 읽을 것이며,*
다른 사람에게 나라를 사랑하게 하려거든
역사*를 익혀 바로 알게 할 것이다.*

- 신채호

6. 역사란 *과거와 현재의 끊임없는 대화다.*

- 에드워드 카

7. 오류로 가는 길은 수없이 많다.

그러나 *진실에 이르는 길은 단 하나이다.*

- 루소

8. 문명의 중요한 진보란 거의 예외 없이

그 진보가 일어난 사회를 파괴하는 과정이다.

- 알프레드 화이트헤드

9. This, too, Shall pass away - 이 또한 지나가리라.

- 셰익스피어

10. *인간의 지혜는 '기다림'과 '희망'으로 집약된다.*

- 알렉산드르 뒤마

11. 상황은 *비관적으로 생각 할 때에만 비관적으로 된다.*

- 빌리 브란트

12. 인간의 행동은 완전한 원리로 이해에 비추어서

이루어지지 않는다면 *언제나 무질서하고 야성적이며*

심지어 악덕한 경우도 많다.

- 플라톤

13. *지혜로운 사람*은 당황하지 않고,

*어진 사람*은 근심하지 않으며,

*용기있는 사람*은 두려워하지 않는다.

- 공자

14. '어제의 범죄'를 벌하지 않는 것, 그것은 '내일의 범죄'에게

용기를 주는 것과 똑같은 어리석은 짓이다.

- 알베르 카뮈

15. 아름다움은 어디에나 있다.

우리의 눈이 그것을 다 알아보지 못할 뿐이다.

- 로뎅

16. 그림은 손으로 그리는 것이 아닙니다.

그림은 눈과 마음으로 그려야 합니다.

교만한 붓으로 그린 그림은 생명력이 없습니다.

- 르누아르

17. *인생의 고통*은 지나가 버리지만, 아름다움은 영원히 남는다.

- 르누아르

18. *한 가지 일을 경험하지 않으면 한가지 지혜가 자라지 않는다.*

- 명심보감

19. 탐욕은 *모든 것을 얻고자 욕심내어서 도리어 모든 것을 잃게 한다.*

- 몽테뉴

20. 신은 곳곳에 가 있을 수 없으므로 *어머니들을 만들었다.*

- 탈무드

21. 사람은 *이성적 동물*로 신의 복사판도 아니다.

본능적 의지 또는 욕망을 가진 존재다.

자신에게 이로운 것을 추구하고, 자신에게 해로운 것을 피한다.

- 스피노자

22. 자유로운 사람이란 *죽음보다 삶에 대해*

더 많은 것을 생각하는 사람이다.

- 스피노자

J. 니체와 나

<< 니체의 잠언 >>

♣ 신은 죽었다. *인간에 대한 그의 동정 때문에 신은 죽었다.*

♣ '신'이란 우리의 무지가 숨는 곳,
즉 우리 *무지의 피난처*이다.
달리 말하면 '신'이라는 존재는 결국
우리의 무지와 무능력의 산물이다.

♣ *모든 선은 하나의 악에서 나왔다.*

♣ 기독교는 *민중을 위한 플라톤주의다.*

♣ 위대함을 추구하는 인간은 일반적으로 악한 인간이다.
이것이 그가 견디는 유일한 방법인 것이다.

♣ 우리의 모든 행위에서 본질적인 것은
우리에게 *의식되지 않은 채* 진행되는 것이다.
사기꾼은 의식적인 상태보다는 백배나 더 자주
무의식적으로 사기를 친다.

♣ 우리에게 새로운 인식이 가능하려면 우리 감각의 폭이 훨씬 더 높고 넓은 것이 되어야 한다.
*세계의 중심에 인간을 두는 망상*에서 벗어나야 한다.
망상을 벗어난 자들에게 *마지막 장애물은 피로다.*

♣ 훌륭한 산문가의 재치는 시에 가까이 다가가되
결코 *시로 넘어 들어가지 않는다는 데 있다.*
시적인 섬세한 감정과 재능 없이는 이 재치를 지킬 수 없다.

♣ 항상 일종의 사랑 가운데 존재하고
항상 이기심과 자기향락 가운데 존재할 것!
끊임없이 우아함이라는 태양과 부드러움 속에 누워있고
숭고한 것으로 통하는 계단에 가까이 있다는 사실을 알 것!
이것이 바로 인생이리라!
이러한 인생이라면 오래 살 필요가 있다!

♣ (1)모든 운동은 부분적으로 선행하는 운동에서 생긴 *피로*다. (질병)
(2)모든 운동은 부분적으로 새롭게 깨어난, 오랫동안 잠들어 있던 *축적된 힘*이다. 기쁘고, 오만하고, 난폭하다. (건강)

♣ 진정한 철학자들은 명령자들이며 입법자들이다.
그들의 *'앎'은 '창조'이며,* 그들의 *'창조'는 하나의 '입법'이며,*
그들의 *진리를 향한 의지는 '힘에의 의지''다.*

♣ 정직이란 *연기에 재능 없는 사람들이 택하는 불가피한 배역*이다.

♣ 사유 때문에 비로소 진리가 아닌 것이 있다.
*사유*는 근원을 찾을 수 없으며 *감각들*도 그러하다.

♣ 무 제한적인 것에서 제한적인 것의 근원을 찾는
모든 형이상학은 불합리하다.
*제한적인 것*에다가 *무 제한적인 것*을 덧붙여서 생각하고
덧붙여서 고안 해낸다는 것이 사유의 본성이다.

♣ '자아'란 우리의 체험에 덧붙여진 하나의 '주석' 이며
우리 자신이라는 분명한 절차에 대한 '오독'이다.

♣ 우리의 자아 감정은 우리 자신이 *소유하고 있다고 생각하는 모든 것,* 다시 말해 *자신의 힘 아래 둘 수 있는 모든 것과*
외연을 같이한다.

♣ 판단과 가치평가는 *감정(호감과 반감)의 형태로 유전된다.*
이런 판단은 어쨌든 그대 자신의 것이 아니다.
우리는 대부분의 경우 *어렸을 적에 익힌 판단들에 의해*
일생을 놀아나는 어릿광대들이다.
자신의 감정을 신뢰하는 것은 우리 내부에 깃든 신들보다는
우리의 조부와 조모, 더 나가 이들의 조부모에
복종하는 것을 의미한다.

♣ 생성의 무구함이 비로소 우리에게 *가장 큰 용기와 자유를 준다.*

♣ 평가하는 것은 *창조하는 것이다.*
평가를 통해서 비로소 *가치가 생겨난다.*

♣ 오랫동안 존속하는 모든 사물은 *점차 이성에 의해 침윤되기 때문에*
그것이 원래는 비이성에서 기원했다는 사실이 믿기지 않게 된다.

♣ 네 행위의 근거나 목적이 너의 행위를 선하게 만들지 않는다.
오히려 *그렇게 행위할 때 너의 영혼이 전율하고 빛나는지가*
너의 행위를 선한 것으로 만든다.

♣ *모든 사물을 완전히 인식했을 때에야*
인간은 자신을 온전히 인식한 것이 될 것이다.

♣ 우리는 사물에 대해 해석하기 전에 하나의 해석으로서
사물을 받아들인다. 즉 *우리는 우리가 해석한 것을 겪는 것이다.*

♣ 도덕은 일종의 화폐이고 화폐는 일종의 도덕이다.
화폐가 보편적이 되기 위해 *구체적 질료가 갖는 특수성에서*
점차 해방되듯, 도덕은 보편적이 되기 위해 *보편 존재로서*
추상적인간을 가정한다.

♣ 도덕이 참된 인식에서 나온 것도 아니지만 그 전수 방식 또한
인식과는 무관하다.
도덕 감정의 역사와 도덕 개념의 역사는 다르다.

♣ *질적인 인간은 작은 것을 추구한다.*

♣ 풍습이든 도덕이든 *하나의 복종을 요구한다*는 점에서 생리적으로 사람을 둔감하게 만든다.
풍습은 *'자유로운 정신'의 탄생을 가로막는 거대한 수렁이다.*

♣ 극복되어야 할 것은 나쁜 충동들 뿐 아니라
좋은 충동들도 *제압되어야만 하며 새롭게 성화되어야 한다.*

♣ 거의 모든곳에서 *새로운 사상에게 길을 열어 주면서,*
존중되던 습관과 미신의 속박을 부수는 것은 '광기'였다.

♣ '잔혹'은 *미래를 약속할 수 있는 자를 위한 하나의 단련이 된다.*
이것은 *자기 자신에 대한 믿음을 갖기 위한 고문이다.*

♣ *지름길은 가짜다.* 때는 꼭 와야만 하는 때에 오지 않는다.
그것은 언제 와도 좋은 때에 온다.
혁명이란 빠른 걸음이 아니라 *대담하고 단호한 걸음이다.*

♣ 긍정이란 나쁜 점을 그대로 감내하는 일이 아니다.
자신이 겪지 않았을 때 *몰랐던 삶에 대한 통찰*을 얻어내는 것이다.

♣ 본다는 것은 눈이 생성된 목적이 아니라,
오히려 '우연'이 눈이라는 기관을 조합해 냈을 때 나타난 것이다.
(*우연이 선행하고 목적이 나중에 덧붙여진다*)

♣ 황금에는 도금할 필요가 없다. 위대한 사건은 소란스럽지 않다.
소란이 사상을 죽인다.

♣ 동정(타인의 고통을 함께 느끼는 것)은
*인간의 자기 극복에 최대 장애물*이며, *신의 죽음의 비밀*이고,
*'위버멘쉬'로 전환하는 데 마지막 장애물*이다.

♣ 동정이란 우리 앞에서 겪고 있는 타인의 고통이 주는
우리 자신에 대한 무력감 내지 모욕에 대해
*타인을 돕는 행위를 통해 복수하는 것*이다.

♣ 오만이란 연기가 실패했을 때 드러나는 위선이다.
오만은 가장된 겉치레의 긍지인데
*'위선에 실패한 위선'*이라고 할 수 있다.

♣ 공포심이 지배하는 경우 공공의 안전과 사회의 안정감을
목표로 하는 행위들만이 *선한 행위*로 평가된다.

♣ '진리'를 위해서도 다양한 *'진리들'*이 필요하며,
'진리'를 위해서도 *'비진리'*가 필요하다.
따라서 친구에게도 '적이됨'을 두려워할 필요가 없다.

♣ 예술은 존재의 은폐 내지 위장에 있는 것이 아니라,
*존재의 변형, 존재의 생성*으로서 무한한 근접에 있다.

♣ 젊은이는 자신의 성장 때문에 고통받을수록
전체, 완전함, 완성을 원하게 된다.

♣ 더 이상 사랑할 수 없는 곳은 스쳐 가버려야 한다.

♣ 당신이 오랫동안 젊은 상태로 있기를 바란다면
나이 들어서 젊어지도록 하라.

♣ 어떤 사람은 *가슴이 먼저 늙고*
어떤 사람은 *정신이 먼저 늙는다.*
그리고 젊을때에 백발노인이 되고 나서 *뒤늦게*
젊어지는 어떤 사람은 오랫동안 젊음을 간직한다.

♣ *남자*는 잔인하다고 여겨질 뿐이지만 *여자*는 잔인하다.
*여자*는 정감이 풍부하다고 여겨질 뿐이지만
*남자*는 정감이 풍부하다.

♣ 사랑에는 항상 *광기*가 존재한다.
그러나 광기에는 항상 *이유*가 존재한다.

♣ 사랑에 의해 행해지는 것은 언제나 *선악을 초월한다.*

♣ 결혼의 성공은 정당한 짝을 찾는 것에 있는 것보다
정당한 짝이 되는 데 있다.

♣ 결혼이란 정열의 본질을 거슬러서 *정열이 지속될 수 있다는*
*믿음*과 *정열을 지속해야 한다는 책임*을 *인정하는 제도.*

♣ 약혼반지란 약탈된 여자를 끌고 갈 때 사용했던 *사슬의 잔재다.*

<< 나의 잠언 >>

♣ 철학이란 *내가 세상을 바라보는 창문이다.*

♣ 나의 철학은 *니체 철학*을 뿌리와 기둥 삼고,
내 삶에서 얻은 *지혜의 잔가지*와
*주관적 인식의 잎*을 붙여낸 결과물이다.

♣ 종교란 '믿음'이라는 수단을 통해 *현재의 삶*을
*내세의 희망*과 교환해 주는 환상적인 시스템이다.

♣ 역사는 연속되는 과정이며 인류와 함께 숨 쉬고 있다.
*협의의 역사*는 과거 사람들과 그들의 사회를
*현재라는 창문*에서 바라본 모습이다.

♣ *지금의 시간과 공간*은 나에게 주어진 것이 아니라,
내가 조물주로서 창조하는 시간과 공간이다.

♣ 가치 있는 삶이란 *'시간'*이란 서핑보드를 타고서
연속되는 *'시련의 파도'*를 멋지게 넘어서는 것이다.

♣ 젊음은 *간결함*과 *신속함*을 원하지만,
노년은 *풍요로움*과 *긴 여운*을 원한다.

♣ 가족은 *구성원 모두를 위한* 보험*이다.*

♣ 살아가며 상처받은 마음은 *깊게 주름진 얼굴*로 나타나지만,
그 어떤 세월의 황망함도 건강한 삶에 의지를 앗아가지 못한다.

♣ *있을 때 잘하자*. 살아서 곁에 있을 때 그리고 능력 있을 때.

♣ 사람은 관계 속에서 *자신의 존재가치를 확인한다.*
이때 상대에게 인식된 나의 존재가치가
왜곡될 수 있음을 유의하라.

♣ 아름다운 관계란 *상대방 본 모습 그대로를*
인정하고 존중하는 것이다.

♣ 사랑이 타오르는 순간에 맞이한 이별은
별이 되어 영원으로 남는다.

♣ 남녀간의 사랑은 열정이란 에너지를 번개처럼
승화시키는 것이기에 *오래 지속되기 어렵다.*

♣ *남자가 여자를 온전히 사랑하는 방법*은 '어린왕자'처럼
지구에 육체를 버리고 *본래의 별로 돌아가는 것이다.*

♣ 인생에서 '청춘'은 '*처음*'이란 짧은 입맞춤으로 지나가지만
'*아쉬움*'이란 긴 여운을 남긴다.

♣ 좋은 친구란 내가 힘들 때 그의 웃는 모습을
떠올리는 것만으로 *나에게 위로가 되는 사람*이다.

♣ 진정한 친구란 둘이 나란히 앉아, 한곳을 멍하니 바라보다가
한 친구가 고개 돌려 옆 친구를 미소 지으며 바라볼 때,
자연스레 얼굴이 마주친 다른 친구 역시 미소 지으며
서로의 어깨를 토닥거리게 되는 그런 친구이다. (以心傳心)

♣ *생각*은 젊게, *몸*은 건강하게, *관계*는 아름답게.

♣ 노년은 *외적으로 축소*되는 환경에 놓이지만,
*내적으로 충만*해질 수 있는 시기이다.

♣ *과거*에서 벗어나지 못하면 새로운 만남에 장애가 된다.
지금 마음을 여유롭게 하고, 앞으로 맞이하게 될
새로운 만남을 준비하라.

♣ *남을 배려할 줄 모르는 사람*을 가장 경계하라.
이런 사람들은 매우 *이기적*이며, 사회의 핵심 가치인
'신뢰'를 무너뜨리는 *암과 같은 존재다.*

♣ '자동차'와 '대인관계'에 있어 Down-grade는
새로운 대상에 대한 호감도를 급격히 떨어뜨리며
과거의 향수를 부른다. 이런 상황은 되도록 *회피*하든가,
새로운 대상이 가진 장점으로 나를 *최면*시키는 것이 중요하다.

♣ 정치란 *소수 기득권세력의 의지와 동의를*
대다수 국민에게 알리고 실행해 나가는 일련의 과정이다.

♣ 권력에 대한 인간의 욕망은 끝이 없다.
*민주주의의 위기*는 여기에서 시작된다.

♣ *잘못된 습관*은 찌든 때와 같다. 좀처럼 없애기 힘들다.

♣ *우정, 신념, 인간관계는 손톱처럼 자라난다.*
성급하게 이루려 달려들지 마라.

♣ *'이번 생은 망했다'*라고 말하지 말라.
*인생*은 정답이 없기에 시험이 아니다.
그대가 열망하는 *다음 생*이란 존재하지 않는다.

♣ 일반인은 하루 세 끼니를 때우는 것으로 여기지만,
미식가는 '*하루에 세 번 찾아오는 즐거움*'으로 여긴다.

♣ 음식을 먹기만 하고 배설하지 않으면 *탈* 나듯,
돈도 모으기만 하고 쓰지 않으면 *탈* 난다.

♣ 배고픔은 위장에서 *청소가 끝났음*을 알리는 신호다.

글을 끝마치며

지금은 상실의 시대다.

정도의 차이가 있지만 우리는 많은 사람을 만나고, 관계를 맺고, 점차 만남의 횟수가 줄어들다가 영원히 만나지 못하게 된다.
더불어 청춘이 선물해 준 건강함과 눈부신 아우라도 세월이란 도도한 강물에 휩쓸려 사라져 간다. 생의 마지막 순간까지 포기하지 않고 가슴 깊은 그곳에 매달아 둔 '희망'이란 내일을 향한 꿈과 함께.
우리는 이러한 상실의 고통에서 벗어나기 위해 '다양하면서도 강한 자극'을 계속 원하게 되고, 이를 향유 하고자 돈의 노예가 되어 '시간'이란 더 귀중한 가치를 희생시키는 악순환에 빠져드는지도 모른다.

항상 가난이란 딱지를 달고 살아온 내 삶이었기에 돈과 무관한 나름의 방식으로 상실이 주는 고통과 허탈감에서 벗어나 보고자 했다.

'내 인생'이란 연극의 제3막을 여는 시점에서 지나간 1막과 2막의 흔적들을 소환해 재구성해 보는 방식으로 말이다.
이 방식을 통해 시간의 소중함을 다시 한번 느끼게 되었으며, '부끄러운 순간들을 되풀이하지 않겠다'하는 각오를 다질 수 있었다.

다들 그러하듯 나에겐 나를 세상에 보내준 두 분의 부모님과 네 분의 할머니, 할아버지가 계셨다.
아쉽게도 나의 기억 속에는 네 분의 할머니 할아버지 중 친할머니 한 분만 살아계신다.
방학 때면 찾아오는 손주들을 위해 대청 곳간에 소중히 보관해둔 먹거리를 내어 주시며 백발의 주름진 얼굴로 환하게 웃으시던 모습. 더운 여름날 늦은 오후, 매미 소리를 들으며 하얀 모시 치마 입은 할머니의 무릎을 베게 삼아 기분 좋게 잠들던 그 시절의 나로 되돌아갈 수 있다면.

훗날 나의 손자, 손녀 그리고 운이 좋아 증손 자녀들에까지 내 삶이 이야기로 전해져 그들에게 재미와 교훈을 주게 된다면 나의 글들은 소임을 다한 것이다.
그리고 현재 나의 '겉모습'만을 의미로 받아들이며 나와 관계를 맺고 있는 내 주위 사람들에게 '벌거벗은 나의 모습'이 다소 친근하게 다가설 수 있기를 기대해 본다.

마지막으로 **세상만사는 새옹지마(塞翁之馬)**라 말하고 싶다.

글을 쓰면서 항상 억울하고 손해 본 듯 지나온 내 삶의 흔적들을 찬찬히 들여다보게 되었다. 그리고 이러한 흔적들이 나를 옳은 길로 떳떳하게 걸어가도록 해주었음을 새삼 깨닫게 되었다.

나는 마지막까지 내가 선택한 이 길을 갈 것이다.
내가 이 길을 꿋꿋하게 걸어가도록 '나름의 철학'과 '건강'이 든든한 동반자가 되어 주리라 믿는다.

그리고 한가지 '가지 않은 길'에서 가끔 마주칠지도 모를 극적 상황을 '상상해 보는 재미'만은 그냥 내버려 두고 싶다. 이런 상상만으로 생애 마지막 걸음을 내딛는 그 순간까지 잔잔한 미소가 내 얼굴에 머물기를 기대하면서.

부 록

A. 내 좌우명

B. 소망 목록(Bucket List)

A. 내 좌우명

☆

☆

☆

☆

☆

☆

☆

☆

☆

☆

소망 목록(Bucket List)		
	소망 사항	달성 일자
1		
2		
3		
4		
5		
6		
7		
8		
9		
10		
11		
12		
13		
14		
15		
16		
17		
18		
19		
20		

소망 목록(Bucket List)		
	소망 사항	달성 일자
21		
22		
23		
24		
25		
26		
27		
28		
29		
30		
31		
32		
33		
34		
35		
36		
37		
38		
39		
40